海部美知

シリコンバレーの金儲け

講談社+α《プラスアルファ》新書

プロローグ

私が最初にアメリカに来たのは、高校の交換留学生として東部の町で1年ほど滞在したときのことです。改めて計算してみると43年も前のことで、アメリカとの付き合いもずいぶん長くなったものです。

交換留学からいったん日本に帰り、1987年、大学院に入るために、またアメリカにやってきました。シリコンバレーの中心にあるスタンフォードで2年過ごした後、ニューヨークで就職、そしてまた10年後の99年にシリコンバレーに戻ってきて、いまに至ります。

その間、しばしば出張ベースで日本と行き来し、アメリカの種々の産業について実地に勉強し、多様な日本企業にお付き合いいただき、日米の起業家とも数多く知り合うことができました。

私が最初にシリコンバレーに来た頃は「ジャパン・アズ・ナンバーワン」の時代で、スタンフォード大学ビジネススクールでも「日本から学ぼう」という空気が色濃くありました。

在学中、日本人クラスメートが、「かつてオランダは50年ほど大繁栄して、すぐに衰退してしまった。日本もそうなるのではないか」と発言したのを覚えています。その時は「まさか」と思いましたが、振り返ってみると、実にそのとおりになっています。戦後の1950年あたりから50年を過ぎ、日本は長い停滞の時代に突入し、いまやGAFA（ガーファ）ばかりが儲けています。

GAFAがなぜすごいのか、シリコンバレーは日本とどう違うのか、日本企業はなぜ競争力を失ってしまったのか、などの具体的な説明はこれまでも多く語られてきました。しかし、この本のフォーカスは少し違います。

私は歴史研究が趣味で、「シリコンバレーの歴女」を自称しています。それであるとき、何気なく子供の小学校の歴史教科書を開いてみました。子どもたちが最初に学ぶのは郷土史ですので、それは「カリフォルニアの歴史」でしたが、私は全く知らないことばかりでした。面白くてすっかりはまってしまい、関連する他の歴史事項についてもネットで調べながら、学んだことをブログシリーズに書き、いろいろなことを考察しました。

その中で、いくつか「文明のビジネスモデル」、つまり「人はどうやって儲けるのか、何を富の源泉とするのか」が大きく変換した時代があった、と気づきました。50年の繁栄を謳歌していたオランダは、その変換についていけなかったのです。その直近の変換期が、日本の「50年の繁栄」が終わった2000年頃から、いまに至る時代なのではないか、と思ったのです。「どうやって儲けるか」の根本的な仕組みが変化し、「バトルのステージ」が次に移ってしまったのに、日本企業がついていけなかったということです。そして、オランダに代わって覇権を握ったイギリスのように、次のバトルステージではシリコンバレーが繁栄を謳歌するようになりました。

この本は、こうした考察に基づき、「文明のビジネスモデル」の変化の流れと、「いまのバトルステージとは何か、それを可能にした要因は何か」について、シリコンバレーの事例を挙げながら書いてみたものです。私の考えの流れを理解していただくため、歴史から書き始めています。新型コロナ禍で世界中が混沌《こんとん》に陥った現在、意外に知らなかったシリコンバレーの歴史を通じて、日本のビジネスパーソンが「次」について考える際のお役に少しでも立てれば嬉しく思います。

なお、シリコンバレーという地理的な定義はいくつかありますが、この本ではサンフランシスコ市も含めた、「北カリフォルニアのテクノロジー産業クラスター」とします。また、歴史や文化の記述では北カリフォルニアの話にフォーカスしますが、テクノロジー産業としては、アマゾンやマイクロソフトのあるシアトルや、ウィーワークのあるニューヨークなども含めたやや広い範囲を想定しています。

目次

第8章　シリコンバレーの変容　165

第１部　儲け方の歴史

第1章　シリコンバレー誕生前のアメリカの金儲け

アメリカ大陸への「ベンチャー投資」と初期のビジネスモデル

シリコンバレーの話に入る前に、まず「投資」の話をします。シリコンバレーの経済の柱「ベンチャー投資」が、アメリカ人、特にシリコンバレー人にとってどういうものなのか、歴史を振り返ってみたいと思います。

シリコンバレー誕生より遡《さかのぼ》ること数百年、そもそもアメリカという国は、誕生当初から「ベンチャー投資」的な成立経緯をたどってきました。

実際に事業をする人とは別の「投資家」が、その事業のためにお金を出し、儲けを山分けするという「投資」のコンセプトは、メソポタミアの「ハムラビ法典」の頃から見られ、古代フェニキアや中世ベネツィアなどでは、「通常の担保をとるタイプの貸し付けではまかない切れないほどリスクは高いが、船が戻ってくれば桁違いの大儲けができる」という、長期の航海による交易をファイナンスする仕組みとして使われました。海のものとも山のものともつかない新しい会社にお金を入れるのがベンチャー投資ですが、その源流は「海のもの」であったわけです。

「海のもの」でざくざく儲けた大航海時代の1492年、クリストファー・コロンブスがヨーロッパ人として初めてアメリカ大陸を「発見」しました。コロンブス自身はイタリア人でしたが、「西回りでアジアに達することができる、それで大儲けできる」という目論見書を持って出資者を探しました。まずポルトガル王にプレゼンテーションして断られ、次にスペインのイサベラ女王のところに行き、投資してもらうことに成功しました。

彼は新大陸を発見（ただし本人は新大陸と認識せず）しましたが、残念ながら「アジアとの低コストルートを開発して濡れ手に粟《あわ》」というビジネスは成立しませんでした。一方、投資家であったスペインは、巨大な植民地を手に入れ、ベンチャー投資が大成功したわけです。

さて、ここでちょっと考えてみましょう。ヨーロッパ人から見て、はるか海の彼方にあり、どんな人間が住んでいるかもわからない未知の土地に行くのは、相当のコストもかかり、とても危険です。いまでいえば、月に行くぐらいの感覚のはずです。そんなリスクをとりコストをかけてまで、そこを植民地にしようという「経済的な動機」、言い換えれば「ビジネスモデル」とは何だったのでしょう？

私たちは現代から振り返って見ているので、「誰だって植民地拡大をしたいのは当たり前、自明の理」と考えがちですが、その時点では何があるのかまるっきり見えていないわけです。果たしてイサベラ女王は、「投資に対する見返り」に何を期待していたのでしょうか？

ここから先の話は、すべて私の個人的な見解であり、学問の世界できちんと認められた説ではありません。

日本の戦国時代や、中世ヨーロッパの中での領地争いの場合、隣国を攻めて勝ち、領地を拡大すると、農地とそこに住んでいる領民、つまり領民が納める税が自分の懐に入ります。「税収が増える」ことがビジネスモデルです。農業をベースとしたこの仕組みは、古代からの伝統的なビジネスモデルであり、いわば「第1世代」です。

その次の大航海時代とコロンブスの場合は、出発点は「アジアで安く香料や絹を仕入れ、欧州へ運んで高く売る」というアービトラージ・ビジネスでした。アービトラージとは、異なる場での価格や金利の差を利用して、安いところで買って高いところで売り、そのサヤ（鞘《さや》）を取る「裁定《さいてい》取引」のことです。これも、シルクロードと地中海航路の時代からあります。これを私は「第2世代」のビジネスモデルと呼びます。フェニキアやベネツィアもこのビジネスモデルで、その延長にコロンブスのベンチャー事業も位置しています。どの時代も、アジアまで行く一番低コストな方法を目指す競争でした。

コロンブスの航海の少し前には、ポルトガルのバーソロミュー・ディアスがアフリカ大陸南端の喜望峰を発見し、続いてヴァスコ・ダ・ガマがここを回って船でアジアに至る航路の開発へと進むことになります。このため、ポルトガルはコロンブスのほら話を相手にする必要がありませんでした。一方後塵《こうじん》を拝していたスペインは一発逆転を狙って、コロンブスの怪しい儲け話に乗ったのです。

スペインの宝探しは「第2・5世代」

コロンブスを「パシリ」に使ってアメリカ大陸の権利を手に入れたスペインは、当初の目論見であったアジア航路の開発による儲けは得られませんでしたが、ラッキーなことに、別の金儲けに成功しました。

スペインはアステカ帝国やインカ帝国を滅ぼし、中南米を支配していきます。その後、征服した現在のボリビアやメキシコ地域で豊富な銀が掘り出され、スペインはそれを欧州に持ち込んで大儲けし、16世紀には「太陽の沈まぬ国」の最盛期を迎えます。植民地で安く掘り出した銀を欧州に持っていくという、ある意味でのアービトラージ・ビジネスが成立したワケです。北米でもかなりあちこち掘ってみたようですが、結局金銀は見つかりませんでした。「アジアとの交易」と「お宝探し」は違うビジネスモデルではありますが、「アービトラージ」を富の源泉とするという意味では似ているので、ここでは「第2・5世代」と呼んでおきましょう。

お宝探しはこれ以降、北米の開発において重要な役割を果たす「金儲け」の動機となっていきます。

しかし当時、金銀の見つからなかった北米は、長いことほったらかしにされました。スペインが放置している間に、イギリス・フランス・オランダが雇った探険家がやってきて領土宣言しますが、「一応ツバつけとくだけ」のほったらかし状態が続きます。本国での戦争などの事情はあったにせよ、結局はやはり「儲かりそうもない」からのほったらかしだったのです。

「土地開発」という第3世代のビジネスモデル

いくつかの植民地建設の試みが失敗した後、北米で本格的な植民が始まるのは17世紀初頭、コロンブスから100年以上後のことです。フランスは現在のカナダのケベックと後にニューオーリンズ、オランダは現在のニューヨークを、おもに第2世代型の「貿易拠点」として運用しようとしました。しかし、北米大陸では自然に産する金目《かねめ》の商品はせいぜい毛皮ぐらいで、あまり大きな商売にはなりませんでした。人口も最盛期でも数千人程度までしか増えず、オランダの北米植民地は、わずか50年ほどでイギリスに攻め取られてしまいます。

イギリスはちょっと違っていました。もともとイギリスは自国で羊毛／毛織物を生産する産業を興し、いわゆる「産業型」の金儲けを始めていたことが、他国と大きく違っていたと思われます。イギリスが北米に進出し始めたのは、本国ではエリザベス1世統治下でスペインの無敵艦隊を破って大暴れしていた頃のこと。すでに民間資本が蓄積されていたイギリスでは、植民地でも「民間資本による土地開発」が行われたのです。もともとそこで産する品物を収奪するのではなく、いろいろな方法で安く土地（または土地の開発権利）を入手し、土地に資本を投下して産物を開発し、付加価値をつける仕組みです。

北米最初の本格的なイギリス植民地は、1607年のバージニア州ジェームズタウンでした。土地利用の権利をイギリス国王から許諾され、「バージニア会社」を設立しました。

このとき、会社の運営資金はどうしたのかというと、ロンドンの投資家たちから調達したのです。川北稔『イギリス近代史講義』（講談社現代新書、2010年）によると、イギリスのジェントルマンが「働く」ことは卑しいことと見なされましたが、「投資」はしてもよいことになっていました。イギリスの金持ちの資金が、一攫千金を狙った海外投資に向けられたのです。

会社の目論見は、中南米の銀のような「金銀財宝」を掘り出すことでした。イギリスの北米進出は、スペインの二匹目のドジョウを狙った「第2・5世代」のお宝探しから始まったのです。

しかし、いくら探してもお宝は見つからず、飢餓や疫病や原住民との戦いで植民地は滅亡の危機に直面しました。それでも出資者からは配当を出せとプレッシャーがかかり、仕方なく同社は何度かの「ピボット（ベンチャー企業が、当初想定した事業がうまくいかず、別の事業に変更すること）」を行った末、ようやくタバコの栽培に成功、収穫を欧州に輸出するというビジネスモデルができました。

その後1620年には、かのメイフラワー号がマサチューセッツ州プリマスにやってきます。本国での迫害を逃れたピューリタンたちが、信仰心に燃え、荒波を乗り越えたのは本当ですが、それにしても先立つものが必要です。船を仕立て、船員を雇う資金、移住先で生活できるだけの物資などは、神様に祈ったら天から降ってくるというものではありません。

どうしたのかというと、結局ピューリタンたちも、民間投資家から資金を調達したのです。彼らは「ロンドン会社」を設立して、バージニア会社と同様、お宝を掘り出して一攫千金を夢みる投資家から資金を集めました。現地についてしまったらお宝探しは放棄して自分たちが食べるための農業を始めますが、その後彼らの住むニューイングランドでは、木材などを輸出するようになります。近代以前の木材は現代の「石油」に該当する貴重な資源だったので、許してやってください。

1681年には、イギリスがオランダからぶんどったばかりの地域にウィリアム・ペンがやってきてペンシルバニアを建設し、欧州各地からの移民を集め、その後アメリカの土地開発が大きく進んでいきます。

これらのイギリス植民地では、まとまった数の人が移住し、そこで新たに産業を興し、そのための港・水源・道路などのインフラ建設も行われ、住環境も整備されました。人が定住しやすくなり、人口もどんどん増えました。フランス・オランダの第2世代型「貿易拠点」では、これらのインフラ投資が十分に行われず、港だけの「点」でしかありませんでしたが、イギリスは「面」として広げていくスタイルでした。このため、18世紀中にフランスから北米植民地に移住した人口が7000人程度であったのに対し、イギリス植民地では、ドイツなど多くの国からも移住を受け入れましたので、13州が独立する1776年時点で、200万人まで人口が増えていました。これだけ人口が違えば戦争をしても勝敗は最初から明らかで、大西洋沿岸の北米植民地（内陸は除く）はほとんどイギリスが制覇します。

イギリスはさらに、植民地を「キャプティブ・マーケット（専属市場）」としてお茶などのイギリス商品を独占的に販売し、税金も徴収するという二重搾取構造を作り上げました。

アイルランドやインドなど他のイギリス植民地でも同様の構造を作ります。

単に「荒地を開墾して農業で税収を得る」だけでなく、「植民地で開発した商品・作物を他に持っていって売り、さらに完成品を宗主国から輸出して売りつける」というプロセスが入った複合的なやり方で、私はこれを「第3世代」の文明ビジネスモデルと呼んでいます。南米では、スペインやポルトガルも輸出用作物のプランテーション開発をするようになりますが、北米ではとりあえずイギリスが成功しました。

アメリカでは「お宝探し」から始まりましたが、その後「プランテーションでの商業作物の栽培」＋「キャプティブ・マーケットでの宗主国製品独占販売」＋「税金も徴収する二重搾取」の合わせ技による荒稼ぎ金儲け体制ができあがります。このやり方は他の植民地でも広がり、19世紀の「帝国主義」をドライブ（駆動）します。大変いい加減な定義で申し訳ないのですが、第3世代は「土地開発」から「帝国主義的な植民地支配」あたりまでをゆるく指すことにします。冒頭に述べた「オランダがついていけなかった」というのはこのことです。オランダは、「アジアの香辛料貿易」商売を、インド洋回りで行うというモデルの「最後の勝者」でした。

しかし、その後の「土地開発投資」というステージへの移行ができなかったのです。

ここまで見てきたように、アメリカというのは「必死で金儲けをしようと頑張る人たち」

が、事業として作り出した国です。もともとその土地に住んでいた人たちが徐々に作り上げた、世界の他のどの地域とも異なっているのです。

第2章　カリフォルニアの金儲け

スペイン、ビギナーズラックの終焉

北米大陸の西端にあるカリフォルニアには、東から幌馬車がやってきて開発したのかと思っていましたが、実はそうではありません。カリフォルニアは、ここまで見たような東海岸の植民地開発とは異なる歴史をたどっています。

16世紀、スペインがアステカ帝国を征服し、現在のメキシコは「ヌエバ・エスパーニャ」という植民地となって、その支配は太平洋岸まで達しました。反対側の海まで出られたとなれば、当然また「アジアへの近道」を探したいという欲が出てきます。当時、北の海に「アニアン海峡」という幻のアジアへの近道があるという伝説が信じられておりました。それで、コロンブス到達からちょうど50年後の1542年、アメリカ東海岸はほったらかしだった時代に、ヌエバ・エスパーニャの副王が、アニアン海峡を探すべく、メキシコから海岸伝いに北へ向かって船を派遣し、現在のカリフォルニア州サンディエゴに到達しました。

ヨーロッパ人は、東ではなく南からやってきたのです。ちなみに、日本の種子島にポルトガル人が漂着して鉄砲を伝えたのが1543年で、ほぼ同時期にあたります。どちらも、「スペインとポルトガルのアジア貿易競争」という同じ文脈から起こったことです。

「カリフォルニア」という名前は、スペイン語っぽい響きがありますが、例えば「ネバダ＝雪に覆われた」などのような、ちゃんとしたスペイン語の単語ではありません。当時スペインで流行したファンタジー小説で、「カラフィア女王が君臨する桃源郷」が登場するものがあり、スペイン人たちはその国のことをカリフォルニアと呼んでいた、といわれています。

その後、何度か探検は行われますが、当然ながらアニアン海峡はいつまでたっても見つかりません。それで、カリフォルニアは167年にわたって放置されました。

東海岸でイギリス植民地が独立してアメリカ合衆国が成立する直前、1768年に、ようやくスペインはカリフォルニアの開発に重い腰を上げます。当時、ロシア人がカリフォルニア沿岸に出没するようになっていたためです。この頃はエカチェリーナ2世の治世初期で、この少し前から、江戸中期だった日本近海にもロシア船が出没し始めた、ロシアの膨張開始期にあたります。

しかし、当時スペインはすでに落ち目で、イギリスのような民間資本の蓄積も、土地開発投資のノウハウもありません。彼らがとった手法は、宣教師を連れていき、カトリック布教とのセットで住民を取り込むという、かつてメキシコでは成功し、日本でフランシスコ・ザビエルがやろうとしていたものと同じ、古臭いものでした。日本の江戸時代中頃になっても、まだ戦国時代をやっていたというわけです。

彼らは、サンディエゴから北に向かって街道を作り、ほぼ1日で踏破できるほどの距離ごとに教会をチェーン展開していきました。この街道は、現在でもシリコンバレーの主要道路「エル・カミーノ・レアル」(El Camino Real：王の道)として残っています。「教会」といっても、礼拝堂だけでなく、そこで宣教師を含む数百～数千人が自給自足できるほどの農地や作業場も兼ねた、広大なキャンパスのようなものです。そこに周辺の住民も連れてきて、欧州の技術や読み書きや神様のことを教える、という目的も兼ねていました。この仕組みを「ミッション」と呼び、南から北へ、合計21ヵ所が建設されました。

だいたいにおいて、このような「○○を教えてやる」という上から目線はうまくいきませんん。ミッションの実態は、原住民をさらってきて無償で奴隷労働させる搾取的な仕組みであったため、原住民はたびたびミッションを襲撃し、激しく抵抗しました。

そして、相変わらず、お宝は見つかりません。中南米で銀をざくざく掘り出したスペインのビギナーズラックは、カリフォルニアでは続きませんでした。

トラブル続きのミッション経営はコスト高でしたが、それでも50年ほど頑張り、カリフォルニアの海岸沿いの広い範囲がスペイン領となりました。現在シリコンバレーを構成する主要都市、サンフランシスコ（聖フランシスコ）、サンノゼ（聖ヨゼフ）などのキリスト教聖人のスペイン語名由来の地名はこのときの名残です。

ちなみにその頃東海岸では、１７７６年に東部13州が独立。１８０３年にはこの新興アメリカ合衆国が、ナポレオンから、フランス領ルイジアナと呼ばれるミシシッピ川西側流域の広大な土地を二束三文で買い取ります。戦争で領土を取るのではなく、ビジネスとして国と国とが土地を売買する（しかも激安で）というのも、さすが土地投機の国アメリカです。

フランスはまともに投資せずほったらかしだった旧ルイジアナですが、アメリカ編入後は土地投機が得意なアメリカ人の手で西へ向かって大陸の開発が進みました。スペインが達していなかった太平洋岸北部（いまのオレゴン州、カリフォルニア州の北隣で太平洋に面している）まで、アメリカ人が「オレゴン・トレイル」と呼ばれる主要街道を切り開いて入植していきます。

ゴールドラッシュの皮肉

カリフォルニアでは1821年、メキシコがスペインから独立すると、ミッションは放棄されます。その後、しばらくカリフォルニアは名目上メキシコ領となりますが、牛や羊を放牧するランチョ（牧場）が点在する程度の「ほったらかし」の時代に入ります。

それから四半世紀後、米墨《べいぼく》戦争でアメリカがメキシコに勝ち、1848年にカリフォルニアはアメリカに編入されます。メキシコがほったらかしの間に、東部から南米を回航してくる貿易船や、オレゴン・トレイルから分岐したカリフォルニア北部の道路を通る幌馬車などがやってきて、「アメリカ人」の入植者が多くなっていました。

この頃カリフォルニアの産物といってもランチョの畜産物しかありません。それでも交易が成り立つほどに東部に輸出されたものがありました。まだ冷蔵輸送の技術がないため肉や乳製品は運べず、輸出はおもに「皮革」と「牛脂」でした。牛脂は特に、石鹸やろうそくの原料として大きな需要がありました。当時は電灯の発明も石油の開発もまだされていない時代で、人口が増えた東海岸ではよほど照明用の「油」が足りなかったと想像できます。油を取るための鯨を追って、ペリーが日本に開港を求めるのはこの5年後です。「アジアの胡椒」ではなく、「照明のための油」が、太平洋周辺の歴史を動かす新たな産物だったのです。

ちなみに、油と革を取ったあとの肉は無用の余り物でランチョの人々が自家消費するしかなく、ランチョでは朝昼晩とビーフ三昧《ざんまい》だったそうです。

そしてアメリカ編入と同じ年1848年に、現在のサクラメントの北東、シエラネバダ山脈の中腹あたりで金が発見され、「ゴールドラッシュ」が始まります。スペインが何百年も探し回った「お宝」が、領地を手放したわずか27年後（メキシコからすれば、ほぼ手放した瞬間）に掘り出されたというのはなんとも皮肉であり、またアメリカというのはなんと運のいい国かと感心します。

翌1849年には金発見の情報が広く知られるようになり、全米だけでなく、世界各地から金探しの人々が押し寄せました。この人々は「49er（フォーティーナイナー）」と呼ばれました。現在、サンフランシスコのプロ・フットボールチームの名前になっていますね。

サンフランシスコの町の発祥はスペインのミッションでしたが、本格的に人が住む都市になったのはゴールドラッシュからです。1848年のサンフランシスコの人口はわずか数百人程度でしたが、49年には2万5000人、52年には4万人にまで膨れ上がりました。

金鉱の場所は、現在でもサンフランシスコから車で北東に向かって2時間くらいかかるやや遠い場所ですが、サンフランシスコ湾は内陸に深く入り込み、さらに川をのぼることで、海から直接船で、金鉱のある山のふもとサクラメントまで達することができます。水運が重要だった時代に、サンフランシスコは49erたちの主要な補給基地となりました。

このとき一攫千金を夢見て殺到した49erたちは、ほとんどが「個人」でした。国家がかりでメキシコの銀山を掘ったスペインとも、本国の富裕な貴族や投資家から資金を集めて土地開発会社を作ったイギリスとも違っていました。こうした「個人」のアントレプレナー（起業家）がサンフランシスコを作ったということが、この地の「土地気質」を形作ったといわれています。

ゴールドラッシュの翌々年、まだようやく人が住み着き始めたばかりのカリフォルニアが、早くも州に昇格します。このとき、カリフォルニアは自由州となることを選択しました。当時、東部では南北戦争前夜で自由州対奴隷州の対立が激化し、両陣営が新しい州を取り合っていましたので、連邦に対して州設立申請をするときにはどちらかを選ばなければなりませんでした。このときカリフォルニアの49erたちは、「奴隷の保有を許せば、一部の金持ちだけが有利になってしまう」として自由州を選んだのでした。

金儲け主義でありながら、個人の自由や機会平等を大事にする、シリコンバレー文化の主要な柱として、現在まで生き続けている精神です。

ゴールドラッシュの最初のうちは比較的簡単に金が見つかったので、1848年に来た6000人は1000万ドル相当の金を見つけましたが、その後は競争も激化して金を見つけるためのコストや手間もかかり、極端な人口増加のせいでインフレも激しく、やってきたときよりお金を増やせた人は20人に一人程度だったとされています。有望なベンチャーを見つけたらなるべく早く投資すると儲けが大きいという点でも、でも結局は失敗して一文無しになる人のほうが多いという点でも、なんだかいまどきのシリコンバレーの状況と似ています。

また、「当たりはずれの大きい金を掘ること自体より、その人たちにツールを供給するほうが確実に儲かる」という**「リーバイ・ストラウス」原則**もシリコンバレーでよく人口に膾《かい》炙《しゃ》しています。リーバイ・ストラウスは、ブルー・ジーンズを作って49erたちに売りまくった商人で、その後「リーバイス」というブランドになりました。丈夫な布を、蛇や虫除けになるインディゴで染め、ポケットを金属の留め金を使って壊れにくくして、金鉱を掘るための作業着として工夫したもので、そのスタイルが現在のジーンズに受け継がれています。「ドットコム・バブル」のときのシスコシステムズ、「クラウド・コンピューティング」におけるアマゾンのＡＷＳ（Amazon Web Service）、「仮想通貨マイニング」におけるエヌビディアなどが「リーバイス型商売」の典型です。

第４世代のビジネスモデル登場

そういうわけで、南北戦争をきっかけとして、カリフォルニアは本格的にアメリカ合衆国に組み込まれます。1861年から65年にかけてのこの内戦で、アメリカは多くの血の犠牲を払って、南北を合わせた大きな統一国内市場となりました。

この前後の時期は、第2次産業革命という、人類史上最大の爆発的技術革新期でした。1859年にペンシルバニアで油田が発見され、石油採掘が全米各地で試みられるようになり、鉄道の敷設が進んで69年には最初の大陸横断鉄道が完成。76年にはベルが電話を、エジソンが77年には蓄音機、79年には竹のフィラメントを使った電球を発明するなど、製造・通信・医療技術といったあらゆる面で新技術が生まれました。ついに人類は、鯨油《げいゆ》や牛脂に頼らなくてもよい照明を手に入れたのです。

この時期、新技術の開発と普及を後押しした資金的な背景は、ここでも「投資」でした。少し前の時代に戻ると、技術開発に熱狂する投資バブルという現象は、すでに17世紀のイギリスで始まっていました。

それまでの株式投資は、交易目的の「東インド会社」や新大陸の開発会社のように、国王から特別な許諾を得た特許会社が中心でした。しかし1687年にニューイングランドの船長が、スペインの沈没船から大量の金銀財宝を引き上げ、船長への出資者が莫大なリターンを得たという事件がありました。

これをきっかけとして、同種の宝探しに出る航海プロジェクトと、そこで難破船を探索する潜水器具の怪しい技術が次々と提唱され、これらに投資する「沈没船お宝バブル」が起こりました（エドワード・チャンセラー著『バブルの歴史』日経BP社、2000年、参照）。相変わらず、「海のもの」です。このときの「技術バブル」にはほとんどまともなモノがありませんでしたが、とにかく「技術に投資する」というコンセプトができました。

そして19世紀にまともな技術ができるようになり、発明して製品化すればどんどん売れるので、ニューヨークを舞台に、投資家が技術を高く買ったり、会社を興す人にどんどん投資したりする、「技術バブル」が到来しました。南北戦争後の1860年代から90年代のアメリカのバブル期は「金ぴか時代（gilded age）」と呼ばれています。

人気になる前に早く見つけて投資すれば、株を安く入手でき、当たれば莫大な儲けになります。その反面、早い時期ではその技術が本当にたくさん売れる製品になるのかわかりづらく、結局うまくいかずに投資したお金が消えてしまうことも多い、すなわち「ハイリスク・ハイリターン」の投資です。植民地開発投資と似た構造で、「銀行融資」は適さず、「リスクマネー」による投資が適しています。

アメリカが20世紀にイギリスに代わって世界の覇権国家になったのは、いろいろな要因が挙げられますが、タイミングよく資金が一気に投入されて、技術爆発と市場の拡大がうまく嚙み合ったから、ということが一ついえると思います。

アメリカは歴史が浅く、既得権益を持つ人たちを新技術が破壊してしまう心配が小さい、土地開発や油田などのハイリスク投資に慣れた投資家がたくさんいた、リスキーな技術を開発・商品化することに突っ走る起業家がたくさんいた、などいろいろな背景が考えられます。市場側の背景としては、関税がなく同じ通貨で販売できる国内市場が大きく、新技術で大量生産したものをたくさん販売することが容易だったという点も挙げられます。

このときの投資の舞台はニューヨークでしたが、「技術ベースの金儲け」「歴史が浅く既得権益を気にしない」「ハイリスクOKな人たち」「国内市場が大きい」などの点はまたもや、現在のシリコンバレーにも当てはまります。

さて、同じ頃に、同様にバラバラだった国内市場を統一した主要国が他にもあります。1868年明治維新の日本と、1871年成立のドイツ帝国です。

この3ヵ国は人口が多く、イギリス型の「植民地二重搾取」をしなくても、国内で製品を大量生産して、大きな国内市場で販売することで、内需を核とする経済を作ることができました。イギリス・フランスを中心とする欧州の既存の大国に対し、この3ヵ国は当時の新興国同期生として帝国主義の競争に遅れて参入しました。そのエネルギーの源となった、内需を中心とし、製造業による富をベースとしたこの時代の文明のビジネスモデルを、私は「第4世代」と呼んでいます。

日本は、自力でハイリスクな投資をして技術開発する前に、まずはすでに存在していた先進技術を学んで取り入れる必要がありました。鉄道の敷設、電力・通信などのインフラ建設、鉱山開発といった大掛かりな投資が必要な事業は、アメリカよりタイミングが少し遅かった日本では、すでに「投資効果がはっきりしていて、ローリスクな段階」に入っており、国家事業でもできるようになっていました。もともと他人の事業に対してハイリスクな投資をするノウハウがあまりなく、ハイリスク投資が成功しておいしい思いをした「ハイリスクOKな人」の数は少なく、その後、いまに至るもアメリカほどの「ハイリスク・ハイリターン」の投資指向は浸透しませんでした。

よく、「日本人は保守的な農耕民族だからリスキーな事業は苦手」などという説明を聞きますが、このように歴史的に見てくると、そもそも国自体が投機で開発されたアメリカがあまりに特殊であることに加え、「タイミング」という要素がかなり大きいと思われます。19世紀後半の「技術爆発」の時代に、日本は「追随者」としてなんとかトップ集団にギリギリついていけました。それはよいのですが、「追随者でローリスク」という成功体験が染み付いてしまったのは、果たしてよかったのかどうかはなんともいえません。

第3章　シリコンバレーの誕生と成長の歴史

第1段階――鉄道王の金儲けと大学設立

さて、話がようやくシリコンバレーにたどり着きます。現在に至るシリコンバレーの「誕生」といわれるポイントが複数あり、いくつかの段階を経ています。

最初のポイントは「鉄道ブーム」から始まります。電信・電話が普及する前、鉄道は人と物資に加え、手紙など紙メディアによる「情報」も、従来のどの手段よりも桁違いに迅速・大量に運ぶことができる、「不連続的・爆発的」な技術革新でした。南北戦争では、北は南より鉄道が発達しており、戦線まで兵士と武器・補給物資と情報を大量に迅速に送ることができたのが、北の勝因の一つといわれています。

少し前にイギリスで鉄道ブームが始まり、投資ネタを鵜《う》の目鷹《たか》の目で探していたアメリカの投資家がこれを見逃すはずはありません。19世紀半ば頃、アメリカ東海岸では鉄道の建設ブームが沸き起こりました。

まだ片田舎だったカリフォルニアは、少々出遅れました。東海岸と西海岸を鉄道で結ぶためには、どうしてもロッキー山脈とシエラネバダ山脈を越える大変な難工事が必要でした。

そこで、これを乗り越えて大陸横断鉄道をつくるための企画が始まりました。企画チームは連邦政府に働きかけ、1862年に「太平洋鉄道法」を成立させ、民間投資資金と連邦政府の予算を使った鉄道の建設が始まりました。東からは、ネブラスカ（準）州オマハを起点にユニオン・パシフィック鉄道が西に向かいます。

西はカリフォルニア州サクラメントを起点に、セントラル・パシフィック鉄道を東に向かって敷設していきます。ダイナマイトがまだないこの時代、山脈を越える工事に使われたのは、「血の犠牲」でした。東はアイルランド、西は中国からの移民がおもに動員され、奴隷同然の労働を強いられました。アイルランドでは「じゃがいも飢饉」、中国では「太平天国の乱」で食いつめた人々が、詐欺同然の勧誘で連れてこられ、ダイナマイトがまだなかったため、山の急峻な斜面で上から人を吊るして手で岩を掘るなどの厳しい環境の工事が行われ、多くの人命が失われました。ちなみに、日本では幕末の生麦事件や新撰組の池田屋事件などがあった頃、まだ海外渡航が自由にはできない時代で、ラッキーにも日本人はこの事態を免《まぬが》れました。

この「太平洋鉄道法」では、1マイル敷設するごとにその両側の土地を10平方マイルもらえることになっていたので、東と西の鉄道会社は建設スピードを競いました。いまでいう「ゲーミフィケーション」というやつです。1869年に双方はユタ（準）州で出合い、大陸横断鉄道は完成しました。

この鉄道を企画した「西」グループの中心人物は、サクラメントで小売商をしていたリーランド・スタンフォードです。もとは東部の弁護士で、ゴールドラッシュに乗ってカリフォルニアにやってきました。

19世紀後半には、政府と癒着して有利な資金や土地払い下げを受けたり、労働者を搾取したり、略奪的価格設定で競争相手を潰したり、暴力的な手段を使ったりなどの搾取的な手法で巨万の富を得た人々がたくさん登場し、「泥棒男爵（robber baron）」と呼ばれました。資本主義のきちんとしたルールが整備される前、資本家が力任せに金儲けした無法時代の現象です。スタンフォードもその一人で、「太平洋鉄道法」は政府との癒着の一例でした。

スタンフォードは東へ向かうこの鉄道に加え、州を縦に走る鉄道も建設して大儲けし、カリフォルニア州知事や連邦上院議員にもなり権力をふるいました。中国移民を酷使して自分が大儲けしたのに、政治家としてはアジア人を排斥する差別主義者でした。

やりたい放題だったスタンフォードですが、家族には恵まれず、遅くに生まれたたった一人の息子は若くして亡くなってしまいます。それを「神様の罰だ」と反省したのか、1885年に息子の名をつけた大学を設立し、自らが保有する広大な農場を寄付しました。これがスタンフォード大学（正式名称はLeland Stanford Junior University）です。地続きの敷地としては全米の大学で最大の面積を誇っており、泥棒男爵のかつての栄華が偲《しの》ばれます。「鉄道ブーム」がスタンフォード大学設立につながり、シリコンバレーへの第一歩となりました。

第2段階―モフェット・フィールドの土地投機

1930年代に入ると、のんびりしたカリフォルニアにも、戦争の足音が聞こえるようになってきます。

1931年、サニーベール市は海に面した広大な農地を買い取り、その敷地をわずか1ドルでアメリカ海軍に転売します。海軍は、ここを空母の航空基地として使用します。ここなら、サンフランシスコ名物の霧の影響があまりなく、飛行機の発着に都合がよかったためです。この航空基地は基地の創設者である海軍少将の名をとって「モフェット・エア・フィールド（Moffett Air Field）」と名付けられました。

1939年には、現在のNASAの前身であるNACAが、ここにエイムス航空研究所(Ames Aeronautical Laboratory)を作りました。

シリコンバレー誕生の第2段階が、このモフェット・フィールドの創設と、それ以降の軍需技術の集積です。このときに地元自治体が、大損を覚悟して1ドルで土地を売ろうという土地投機屋的な決断をしたわけで、これがその後の産業を創出する先行投資として非常に効果を発揮しました。

エイムス航空研究所はインターネット草創期に重要な役割を果たしました。モフェット・フィールドは現在では軍事的な役割を大幅に縮小し、すぐお隣に本社のあるグーグルが実質的な「主《ぬし》」となりつつあります。

1931年、日本と中華民国の間では満州事変が起こっており、39年はヨーロッパで第二次世界大戦が始まった年です。ここまで、アメリカの対外軍事活動はおもに対ヨーロッパ(東)およびメキシコ(南)だったのですが、ここへ来て、日本が軍事的に台頭することにより、まともに戦争を経験していない太平洋側(西)を武装しなければならなかった、ということだと思われます。その意味で、あまり好ましくない文脈ではありますが、シリコンバレーの成立は日本のおかげもちょっとあるかもしれません。

第3段階――「シリコンバレーの誕生」

当時、そういうわけで現在のシリコンバレー地域は、果樹園が広がる農村でした。学生は卒業しても就職先がなく、東部に去ってしまうのが普通でした。それを嘆き、学生に地元で「創業」するよう推奨するスタンフォード大学の教授がおりました。フレデリック・ターマンといいます。

1939年、ターマンの生徒であったウィリアム（ビル）・ヒューレットとデイビッド（デイブ）・パッカードがHP（ヒューレット・パッカード）を創業しました。私のこれまで述べてきたシリコンバレーの歴史段階でいうと「第3段階」ですが、この時点を「シリコンバレー」の誕生と呼ぶこともあります。

ヒューレットとパッカードは、スタンフォード大学エンジニアリング学部の同級生でした。卒業後、パッカードはトーマス・エジソンが創業した東部のGE（ゼネラル・エレクトリック）に就職、ヒューレットはスタンフォード大学院に残りました。この時期は、大恐慌直後の時期にあたり、東海岸の景気は最悪でした。このため、指導教官だったターマン教授の勧めで二人は大学の近くでベンチャー創業を決意。パッカードは、結婚したばかりの奥さんと、38ドルで買ったドリル・プレスを車に乗せ、はるばる大陸を横断して、カリフォルニアへと帰ってきました。

パロアルトで買った家の母屋にはパッカード夫妻が、裏庭の小屋にヒューレットが住み、ガレージが作業場となりました。パッカードの奥さんの稼ぎで生活を支えながら、二人はそこで医療機器や天体観測機器から、ハーモニカのチューナーやトイレを自動的に流すための部品までを、ちょこちょこと作っては売っていました。

1938年にヒューレットは音の周波数を計測する新しい方式を開発し、二人は従来のものよりも飛躍的に安定して低コストなオーディオ発振器をつくりました。この製品がウォルト・ディズニーの目に留まり、40年にリリースされた劇場用アニメ映画『ファンタジア』の製作に使われ、彼らの初の「正式な製品」となります。その前年の39年には正式に会社を創業、コイン・トスによってどちらの名前を先にするかを決めて「ヒューレット・パッカード(現HP)」となりました。

1939年といえば、カリフォルニアでもモフェット・フィールドにエイムス航空研究所ができた年とはいえ、まだまだのんびりした平和な時代です。

日本軍が攻めてくる!?

1941年日本との戦争が始まると、その翌年日系アメリカ人の強制収容という事態が起こります。ドイツ系やイタリア系はお咎《とが》めなしで、日系人だけが大規模に収容されたのは、「アジア人種を差別していたから」だと思っていましたが、こうしてカリフォルニアの歴史を見てくると、どうもそれだけではなく「カリフォルニアの特殊事情」も加わっているように思えてきます。

「カリフォルニア人は、本気で日本軍がカリフォルニアまで攻めてくると思って恐怖におののいていたのではないか」という点です。そして、カリフォルニアはハワイについで日系人の人口が多かったのです。

日本の敗戦話ばかり聞いて育った私からすると、ボロボロの日本軍がはるか遠くの金満アメリカ本土を攻撃するなど、とてもありえない話で、想像だにしていませんでした。しかし開戦当初、日本軍は破竹の勢いでアジアと太平洋で勝ち続け、実際にカリフォルニア沖には日本の潜水艦が出没して、石油設備や商用船を攻撃していました。

一方、アメリカ全体から見ると、カリフォルニアは国土に組み入れられてからまだ100年もたっておらず、人口も少なく、本格的な戦争の経験も防衛体制もない手薄な場所でした。いわば、アメリカにとっての「鵯越《ひよどりごえ》」のような、「背後から奇襲される」危険性のある「脆弱な」箇所でした。そんな平和ボケのカリフォルニア人がパニックに陥り、それまでもあったアジア人差別の火に油を注いだ、と考えることができます。

実際にアメリカ政府は、モフェット・フィールドを創設し、サンフランシスコから湾を隔てた対岸のオークランドに造船所を作り、太平洋にすぐ出撃できる船を大増産するなど、西の海の戦闘態勢を急いで整えました。これまで東に偏っていたアメリカの軍事・防衛産業が、この後、西でも急速に重要度を増したのでした。

フレデリック・ターマンの金儲け

HPを設立するきっかけを作ったフレデリック・ターマンは、スタンフォード大学電気工学科の教授でした。無線の専門家であったために、第二次世界大戦が始まると、ハーバード大学での軍事用無線の研究に従事していました。

欧州では1939年、ドイツが周辺諸国に侵攻して、イギリスがこれと戦っていましたが、イギリスは欧州大陸になかなか上陸することができずにいました。そこで、イギリスの支援に新たに参戦したアメリカは、太平洋よりも欧州戦線をまず優先することを決定しました。

しかし米英の空からの攻撃はドイツの強力な早期警戒レーダーの網に阻まれてしまいます。ドイツでは、占領下のフランス・ベルギー・オランダから北ドイツにかけて、レーダーと地対空砲を緻密に設置し、イギリス・北海方面から飛来する米英の戦闘機を検知して撃墜していました。ヨーロッパの北部では、曇って視界の悪い日が多く、飛行機にとっては圧倒的に不利でした。

連合国軍側は、これに対抗するための空対地レーダーを開発し、1943年から飛行機に搭載されるようになります。しかし、それでも飛行機による爆撃は危険なミッションで、パイロットが生還できる確率は非常に低かったのです。

パイロットの生還率を高めるためには、ドイツ軍のレーダー・システムを解析し、これを攪乱《かくらん》する仕組みがどうしても必要となりました。そこで、ハーバード大学に秘密の無線研究所（Radio Research Lab：RRL）が設立されたのです。そして、そのトップとして招かれたのが、フレデリック・ターマン教授でした。

このように重要な無線・レーダーの研究は軍事目的のために、軍の研究予算がMIT（Massachusetts Institute of Technology：マサチューセッツ工科大学）やハーバード大学には1億ドルとか3000万ドルといった単位で拠出されていたのに、スタンフォード大学には5万ドルぽっきりでした。この頃、いかに当時のスタンフォード大学の存在が小さかったかがよくわかります。

戦後スタンフォード大学に戻ったターマン教授は、次の戦争に向けた軍事研究に備え、さらにスタンフォード大学を工学部門で全米トップクラスの大学にするため、20年計画で大学改革に着手しました。自分の人脈を使って無線の研究者を招聘《しょうへい》、教授陣の給与引き上げ、学生のための奨学金、研究設備や教室の充実などを推進しました。

いずれも先立つモノが必要なことばかりですが、当時のスタンフォード大学はおカネに困っていました。そこでターマンは、スタンフォード大学の広大な敷地の一部にオフィスを建設し、そこから賃料収入を得ることを計画します。これが、1951年にできたスタンフォード・インダストリアル・パーク（現在はスタンフォード・リサーチ・パーク）で、世界最初のテクノロジー企業向けオフィス・パークとなりました。ターマンが個人で儲けたわけではありませんが、ここでも「土地開発」の伝統芸が発揮されたというわけです。

1950年には朝鮮戦争が起こり、それを機にスタンフォード大学は初めて、本格的な官学共同研究パートナーとなります。日本に続き、アジアが戦線となって、カリフォルニアは引き続き重要な役割を果たします。その後の冷戦では、ソ連の「核の真珠湾」を防ぐための防衛システムが重要となり、スタンフォード大学はNSA（アメリカ国家安全保障局）、CIA、海軍、空軍の研究パートナーの中心的役割を果たすことになり、軍の予算も飛躍的に増加します。これが、後の「インターネット」につながっていきます。

インダストリアル・パークには、バリアン、HP、イーストマン・コダック、GE、ロッキードなどが入居しました。1950年代終わり頃には、ロッキードはこの地域で5000

人の従業員を抱える、最大の雇用者となりました。スタンフォード大学のあるパロアルト周辺は、果樹園から急速にテクノロジー企業の町へと変貌していったのです。

スタンフォード大学は、全米大学ランキングを駆け上がっていき、卒業生が創設した企業が育っていきます。そしてターマンはヒューレットとパッカードへの支援、インダストリアル・パークの成功、スタンフォード大学を育てたなど数々の功績により、ウィリアム・ショックレー（後述）と並ぶ「シリコンバレーの父」として現代でも知られています。

第4段階──「半導体」がやってきた

さて、もう一人の「シリコンバレーの父」であるウィリアム・ショックレーは、トランジスタの開発者であり、シリコンバレーの名になった「シリコン／半導体」産業をこの地にもたらした人です。

ショックレーは父親がスタンフォード大学教授であり、大学のそばで育ちました。第二次世界大戦中は東海岸に移って軍に協力、戦後はアメリカ最大の電話会社AT&Tの研究開発部門、ニュージャージー州にあったベル研究所（ベル研）に勤めていました。ベル研で他の研究者とともに、真空管に代わる固体（半導体）を見つける研究を行い、それに成功して、のちにノーベル物理学賞を受賞しました。

ショックレーはこの種の天才にありがちな、かなり性格的に難がある人でした。ベル研の共同研究者との間でいざこざが絶えず、社内でも人望がなく昇進が遅れ、結局ベル研を辞めて、故郷に戻りました。そこで、大学時代の友人の支援を得て、スタンフォード大学に隣接するマウンテンビュー市に「ショックレー半導体研究所」を設立し、自力で半導体の開発・製造に乗り出しました。1955年のことです。

しかし、自分の会社でも結局またショックレーは嫌われてしまいました。会社設立からわずか2年後の1957年、部下のうち8人が集団離脱して、シャーマン・フェアチャイルドという事業家の会社の子会社として、「フェアチャイルド・セミコンダクター」を設立しました。

そのフェアチャイルド・セミコンダクターも、やがて東部にあった親会社との軋轢《あつれき》が発生して社員が次々と辞めていき、創業時の8人のうち2人、ロバート・ノイスとゴードン・ムーアもついに1968年にフェアチャイルドを離れてインテル社を創業しました。フェアチャイルドを辞めた他の社員たちも多くの半導体企業を創設、1950~60年代のシリコンバレーは「半導体の時代」となります。

後年「産業のコメ」とも称される半導体ですが、初期の頃は軍事用に使われることが多く、その後コンピューター技術の発展とともに民生用にも使われるようになります。そして、いよいよ、1976年にアップルが創業され、新しい時代に入ります。

その後は、非常に多くの企業がシリコンバレーで勃興し、一つずつ見ていくわけにはいかなくなるので、このあとは各時代を代表するようなものだけを取り上げていきます。

第5段階──ベンチャーキャピタル登場

さて、1970年代からシリコンバレーのテクノロジー・ベンチャーが一気に盛んになるのは、技術要素と市場の両面での進化など、いくつかのファクターがありますが、「資金」という面に着目すると、この時期に一つの大きな節目がやってきます。

それは、「ベンチャーキャピタル（VC）の登場」です。

これまで見てきたように、「他人のつくった会社に投資して、配当や売却益を得る」という金儲けのシステムは、アメリカの歴史の最初から盛んに行われていました。最初のうちは女王・国王あるいは国家、その後だんだんに貴族・地主、富裕な商人や成功した事業家などへと広がりましたが、基本的には「富裕な個人およびファミリー」が資金の出処でした。

19世紀の鉄道ブームの時代には、J・P・モルガンなどの「マーチャント・バンク（もとはイギリスで始まった金融機関。手形の引き受け、証券の引き受け・発行、投資の管理、企業の合併・買収の仲介などの業務を行う）」が鉄道事業に投資していましたが、1929年の大恐慌の後、アメリカではグラス・スティーガル法で銀行が自己勘定で投資することができなくなります。その後、投資の主体は「富裕な個人」の範囲に限られました。シリコンバレーにおいても、例えばショックレーは、「すでに成功して手持ち資金を持っていた事業家」の資金を得て、その子会社としてベンチャーを立ち上げたものでした。

1950年代に、復員支援などの目的でいくつかの法規制変化があり、これらをきっかけに、東部では「プライベート・エクイティ（PE）」が登場します。富裕な個人だけでなく、より広く投資家から資金を集めて企業に投資する近代的な形式であり、その中で新しい小さな会社に投資するVCの活動も行うようになります。最初のVCの投資成功例は、1957年にマサチューセッツ州で設立されたコンピューター・メーカー、DEC（Digital Equipment Corporation）とされています。

この時期には、シリコンバレーのベンチャー企業に対するVCの投資も始まり、フェアチャイルド・セミコンダクター創設時には、シャーマン・フェアチャイルドとともに、ニューヨークのVCが投資しており、これがシリコンバレーにおける最初の「VC支援による創業」とされています。

1960年代には、シリコンバレーの地元でもVCが設立され始め、70年代に入ると、KPCB（Kleiner Perkins, Caufield & Byers）とセコイア・キャピタル（Sequoia Capital）という、現在でも有力な地元VCが登場します。スタンフォード大学近くにある道路サンドヒル・ロードは、これらのような多くの有力VCが軒を連ねており、「シリコンバレーのウォール・ストリート」に該当します。

それまでは、シリコンバレーのベンチャー企業といっても、資金源は東部の大企業や富裕な個人、ニューヨークのVCなど、「東部の富」に依存する部分が大きかったのですが、ここへきて資金面で自立性が高まります。地元にVCが登場したのに加え、ストックオプション（経営者や従業員があらかじめ決められた価格で自社株を買う権利）でまとまった資金を手にした元ベンチャー企業従業員などが増えるにつれ、シリコンバレーにも「富裕な個人」が徐々に増えていきました。

アップルを例に取ると、自己資金で創業したあと、地元の富裕な個人であるマイク・マークラがまず投資し、その後セコイア・キャピタルと東部のVCが資金を入れ、銀行からの借り入れもしています。

こうしてシリコンバレーに「自前のマネー市場」が形成されると、お金も時間もないスタートアップ企業がわざわざニューヨークまで行かなくても出資を頼みに行くことができます。また投資家も地元の事情をよく理解しており、人脈などの点で支援もしやすいという利点もあります。

1970年代には、アップルのほか、ノンストップ・コンピューターのタンデムコンピューターズ、バイオ技術のジェネンテックなどが、シリコンバレー地元VCの資金を得て創業しました。ちなみに、70年代創業のシリコンバレー大企業というと他にデータベース大手のオラクルもありますが、こちらは初期の成長を政府プロジェクトの売り上げでまかない、VC資金は入れませんでした。また、シリコンバレーの外ではマイクロソフトも75年創業で、富裕な個人からは資金提供を受けましたが、VCは入っていません。70年代は、アップルとマイクロソフトという二大巨人が登場した「コンピューターの時代」でありました。

一方で、1960年末から70年代にかけてのサンフランシスコ・ベイエリアでは、「カウンター・カルチャー」「ヒッピー」のムーブメントが巻き起こります。アップル創業者のスティーブ・ジョブズも一時は本物のヒッピーだったように、シリコンバレーでも、起業を目指すテック坊やたちと、前衛アーティストやヒッピーが渾然一体《こんぜんいったい》となって住んでいました。この頃の「エスタブリッシュメント」を嫌う、ユートピア的な理想主義の風潮は、すっかりビジネスライクになった現在のシリコンバレーにも受け継がれています。

「ネットワーク」と停滞の1980年代

1980年代に入ると、コンピューターがネットワークでつながり始めます。まだローカルな閉じたネットワークで、インターネットではありません。この「ネットワーク時代」の代表的なシリコンバレー企業というと、82年創業のサン・マイクロシステムズ、84年創業のシスコシステムズなどが挙げられます。いずれもスタンフォード大学内部のコンピューター・ネットワークが発祥で、創業者も多くがスタンフォード大学出身者です。しかし、80年代から90年代初頭あたりまでは、シリコンバレーは比較的低調でした。

１９７０年代から80年代初頭にかけて、アップルなどの大成功でＶＣは高いリターンを得たため、多くのＰＥがこの分野に参入しました。大企業がベンチャーファンドに投資する「コーポレート・ベンチャー・キャピタル（ＣＶＣ）」の動きも活発になりました。

しかし、数少ない「ホームラン」をみんなで追いかけるようになって、ＶＣ同士の競争が激しくなり、リターンは低下しました。ゴールドラッシュの歴史が思い起こされます。このため、いったん設立したＶＣ部門を売却する事例や、ファンドを立ち上げても資金が集まらないＶＣが続出しました。

この時期、ベンチャー投資以外の投資活動に資金が振り向けられていたことも一因です。１９８０年代といえば、ＬＢＯ（レバレッジド・バイアウト、借金を使って企業を買収すること）が流行し、メディアで「企業乗っ取り」「敵対的買収」といった言葉が飛び交った財テクブームの時代です。

私は1987年に渡米してスタンフォード大学に入ったので、このあたりからは「歴史」ではなく「実体験」です。入学してすぐの10月19日、ニューヨーク株式市場の大暴落「ブラックマンデー」がありました。経済的なインパクトは大きかったはずですが、私にはシリコンバレーからはかなり遠い、対岸の火事のように感じられました。私自身が渡米してすぐで経験が浅かったことに加え、現在と比べると、シリコンバレーのテック企業はまだまだ「地場産業」程度の扱いだったこともあると思われます。

シリコンバレーの地元経済全体としても、1980年代終わり頃から90年代前半あたりにかけては、景気停滞期でありました。一つの理由は、89年11月にベルリンの壁が崩壊、90年にドイツの東西統一が実現し、長く続いた冷戦がこの時期に終わったことでした。基本的にはまだまだ軍需産業中心のエコノミーであり、その軍需産業が大幅にスケールを縮小して人員を削ったため、失業者が多く出たのです。

その頃から、いろいろな電子機器の分野で、例えばレコードがCDになるなどの「デジタル化」、すなわちアナログなものがデジタル・データに変換される流れは始まっており、日本の電子機器産業が大いに活躍しておりました。しかし、まだまだ単発のモノの単位でとどまっており、このあとに見る変化ほど大きなインパクトはありませんでした。

ネットバブルの1990年代

1990年代は静かに始まりました。当時、私はスタンフォード大学を卒業した後、ニューヨークでNTT（日本電信電話）の現地法人に勤めていました。ブラックマンデーからの立ち直りの時期で、まだ携帯電話は「自動車電話」しかなく、特別な人しか持っていない時代でした。日本の会社ではパソコンではなくワードプロセッサー専用機を使い、机の上の電話とファックスですべてをやりとりしていました。

1990年代の半ばから、通信の世界では、後に粉飾決算のスキャンダルで大騒ぎになるワールドコムなどの新興通信事業者が数多く登場しました。当時実用化された新しい多重技術により、光ファイバーの容量が飛躍的に増大して単位あたりのコストが劇的に下がったことが引き金でした。この技術は、DWDM（高密度波長分割多重：光ファイバーを多重利用する技術）というもので、光を複数の波長に分けてチャンネルを割り当てる方式であり、現在に至る「インターネット」を可能にしたのがこの技術です。

このため、古い設備を持った既存電話会社よりも、新しい光ファイバーを建設する新興事業者のほうが、はるかに安くサービスを提供できるようになりました。彼らの多くは、最初は「格安長距離電話」を売り物にしていました。この頃、私も日本との連絡は電話で話すことが多かったので、数ヵ月ごとに、どんどん出てくる安い事業者に乗り換えていました。例えば、1980年代には日本との間で1分3ドル以上していたのに、100分の1の数セント程度まで下がりました。

一方、それまで学術・防衛に用途が限られていたインターネットは、1990年に商用化されました。いまから考えると変な話ですが、最初は「これは一体何に使うのか？」と業界の人たちは首をかしげていました。しかしそのうち、べらぼうに安くなった「通信」を使った新しいサービスが出てきました。アメリカ・オンライン（AOL）などのパソコン通信サービスが花開き、一般消費者がパソコンをネットワークにつなげ、メールで連絡をすることが一般的になっていったのです。そして、そのパソコン通信サービスがインターネットに融合していきます。

これを背景に、1993年に初期の「ブラウザー」が登場しました。この同じ頃、「ムーアの法則」により半導体の集積度が上がり、パソコンがどんどん安くなり普及しました。ネットにつながったパソコン画面を「カタログ」として使い、モノを販売するeコマース（電子商取引）が、最初にこのコスト構造の変化を「マネタイズ（金銭化）」する商売として立ち上がりました。

自社の販売するモノをドメインネームに使う、例えばペット用品なら「ペット・ドット・

コム」といったベンチャーが多数登場したので、「ドットコム・ブーム」とも称されています。

政府でも、アル・ゴア副大統領が「情報スーパーハイウェイ」構想を提唱し、ブームを煽りました。

これらの新興通信事業者やドットコム・ベンチャーたちに、ものすごい勢いでVCの資金が集中し、まだろくに利益も上がらないうちに高値で上場（IPO）し、起業家とVCが大儲けする事例が相次ぎました。他人の大成功を見て、我も我もと起業が相次ぎました。年間のベンチャーへの投資額合計をグラフにすると、2000年には1000億ドルを超えピークを示します。まさに「新・金ぴか時代」の様相を呈していました。

しかし、2000年3月にこのバブルははじけました。上がる期待だけで吊り上がった株価が、実態経済と乖離《かいり》しすぎてしまったからです。01年末までに、泡沫ドットコム・バブル・ベンチャーはほとんど消滅し、これらのベンチャーに投資された巨額の資本は、泡と消えてしまいました。

私はバブルの真っ最中にニューヨークからシリコンバレーに戻りましたので、このときはお金の上でも生活の上でも、大きな影響がありました。

しかしマクロ的に後から見れば、悪いことばかりではありませんでした。バブルの間、エンジニアがたくさんこの地に集まって技術の開発が加速され、通信回線やデータセンターなどのインフラが過剰に作られ、空港やオフィスビルの建設が進むなど、後に残るモノがありました。こういうことを勢いに乗ってやってしまうのもこの地域の体質なのかな、と思います。これらの蓄積が、次のサイクルをもたらすことになります。

また、この狂乱により、これまでどこかの地方の「伝統のなんとか染め」的な、「特徴ある地場産業」程度の存在感であったシリコンバレーが、ニューヨークのNASDAQ《ナスダック》で上場する例が相次いで、全米的に知られる全国区の存在となりました。継続的な事業の儲けという意味では未熟なベンチャーが多かったのですが、いくつかが生き残り、次のフェーズでいよいよ「インターネットとソフトウェア」が本領を発揮します。

この時代に創業して、現在テック産業の中心的存在となっている代表例が、1997年創業のネットフリックス、98年のグーグル、そしてシリコンバレーではありませんが94年のアマゾンです。

2000年代以降「GAFA」の時代

1990年代のバブルは、必ずしも株価期待だけの根拠のないバブルとして切って捨てられるものではありません。その核心には、デジタル化の波と、半導体と光ファイバーの集積度が上がって単位あたりのコストが劇的に下がるという、明確な技術革新によるコスト要因がありました。

２０００年のドットコム・バブル崩壊と01年9月11日（9・11）の同時多発テロという、ダブルショックで始まった２０００年代、当初はひたすら淘汰と統合が進むだけでしたが、実はその数年間のシリコンバレーは、ヒッピーとテック坊やが共存していた昔はこうだったのかなと思わせる、静かでなつかしい時代でもありました。金儲け中心の人たちが逃げてしまい、技術が本当に好きな人たちだけが踏みとどまり、一生懸命何かを作っていました。

２０００年代中頃から、次の時代が幕を開けました。「カタログの代替」ではない、本当に「ネットでなければできない」新しいタイプの各種のサービスが登場してきたのです。

まず２００４年にフェイスブック、06年にツイッターが創業して、「ソーシャル」が華々しく登場します。実はその少し前から、原型ともいえるソーシャル・ネットワーキング・サービス（ＳＮＳ）がいくつか登場し、若い人たちの人気を集めていましたが、結局この二つが決定版となります。

また、２００５年にはユーチューブが創業（その後グーグルが買収）。それまでＤＶＤを郵便で配送していたネットフリックスも07年頃から動画配信に切り替わっていきます。ネット動画サービスは、それまでも数多く試されてきましたが、品質も使い勝手も悪く、この頃にようやく実用に堪えるサービスが出てきたのです。

そして、当時徐々に人気を集めていたBlackBerryというメッセージ専用端末が、「音声通話」に対応して「スマートフォン」となったのが2002年、その流れを受けて07年にアップルのiPhone、08年に最初のAndroid端末が発表されました。Androidはオープンソースですが、グーグルがソフト開発の中心的存在です。この頃携帯電話ネットワークにおいて、第2世代デジタルから、より高速でデータ通信に適した第3世代（3G）への移行が、世界主要国でほぼ完了していたというタイミングです。

そうすると、「クラウド」が必要になります。従来は、処理能力の高いパソコンを使い、すべて「ローカル」で処理し保存することが前提でしたが、能力も保管容量も小さい携帯端末で、写真をとってソーシャルにアップするためには、ネット側に処理と保存を依存する必要があります。この仕組みがすなわち「クラウド・コンピューティング」と呼ばれるものです。ネットワークの仕組みを図にする場合、「インターネット」の部分を「雲（クラウド）」の記号で表記するため、この名がつきました。これを提供するデータセンター側のインフラとして、アマゾンのAWS（Amazon Web Service）が中心的存在となりました。

クラウドにパソコンやモバイル機器がつながると、従来は個別のパソコンの中にあった各種のデータがネット上のクラウドに集まるようになります。2000年代中頃からこの膨大なデータを保存したり動かしたりする技術が本格的に使われ始め、そのデータを使って種々の解析をし、さらに新しいサービスを作ることができるようになりました。これらの大量データを扱う技術は「ビッグデータ」として話題になりました。この技術群はおもにオープンソースで行われ、ここではグーグルが大きな役割を果たしました。また動画という大容量データを扱う必要のあったネットフリックスも、「ユーザー」の立場から技術開発・提供を行うようになります。

これで、このフェーズにおける重要な技術要因が出そろいました。これらは相互に関連しています。つまり、２０００年代のテック・ビジネスでは、「ソーシャル」「モバイル」「クラウド」「データ」の４つの要素が相互にフィードして発達したということになります。この４つの要素の主要プレイヤーである4社の「ＧＡＦＡ」(Google, Apple, Facebook, Amazon) という言い方が、ビジネス記事などでよく使われます。この4社にNetflixも加えて「ＦＡＡＮＧ」としたり、Microsoftを加えて「ＧＡＦＡＭ」としたりなどのバリエーションもあります。

ＧＡＦＡの共通の特徴として、ｅコマースやスマホといった「表側」のプロダクトは違っても、それを支えるＯＳ、データ保存、解析技術などの「技術インフラ」を担い、その「上」に他のサービスを乗せ、上から下へお金も流れる、という構造を持っていることが挙げられます。こういったソフトウェアのインフラを「プラットフォーム」と呼び、一つのプラットフォームを使ってアプリやサービスを提供する企業群を、生物学の「生態系」の共生関係に倣《なら》って「エコシステム」と呼びます。

例えば、iPhone上で動くゲームがあり、そのサーバー側はAWSを使い、グーグルが中心となって作ったデータ技術でユーザー行動を解析し、ゲームのスコアをフェイスブックで友達と共有します。ゲーム課金でゲーム会社が得たお金の一部が、アップル・アマゾン・グーグル・フェイスブックに異なる形で少しずつ流れていきます。

これが、GAFAが強い所以《ゆえん》です。そして、引き続きベンチャー投資資金がフェイスブックなど新勢力の台頭を後押ししています。

第2部　シリコンバレー型金儲けの仕組み

第４章　技術の進歩が富を生み出す

技術の革新がキーとなる

ここまでで、「投資ベースの金儲け」の文化が、アメリカという国とシリコンバレーという土地に長い時間かかって根付いているということが、おわかりいただけたかと思います。次々とベンチャーが興ってくるというこの地域特有の現象は、「投資」活動の仕組みによって支えられています。これまでにない新しい技術を作り出すための仕組みとしては、このやり方が適しているのです。

とはいえ、投資はあくまでも企業活動を支えるお金の面での仕組みでしかありません。単なるマネーゲームではなく、シリコンバレーで生まれる技術が長期的になんらかの「富」を生み出すからこそ、この仕組みが長く続いているのです。

第2部では、こうした「富」を生み出す仕組みについて考えてみましょう。

第1部では「第3世代」まで、マクロな文明の歴史的儲け方式として定義しましたが、第4世代以降はあまりきちんと定義をせずに流してしまいました。もう少し、細かく見ていきましょう。

「第4世代以降」の富の源泉は、私の定義では、「技術の進歩により、なんらかの重要素材の供給コストが大幅に下がり、かつ供給量が大幅に増え、プロダクトの価格との間に大きな利潤が発生して儲かるようになる。さらに、増えたものを使った事業が多数出現し、大きな産業になる」というものです。「技術の革新」がキーとなり、帝国主義的な「収奪」をする必要がないやり方です。

ちょっとややこしいですね。自動車を例に取ってみましょう。

その昔、ヘンリー・フォードが「流れ作業による組み立て」という方式を始めたおかげで、それまでよりはるかに短時間で効率よく自動車が組み立てられるようになり、自動車を作るためのコストが劇的に下がりました。これが、「技術の進歩で供給コストが大幅に下がる」という事象です。

自動車の値段は1900年に1000ドル程度でしたが、08年に発売されたT型フォードは当初850ドルで販売されました。当時の平均的なアメリカ人の年間所得より少し高いぐらいだったそうです。その後さらに下がって24年には290ドルにまで下がりました。アメリカの乗用車の生産台数は、1900年には4192台でしたが、T型は08年から27年までの約20年間に1500万台、単純に平均すれば年間約80万台の生産台数となったのです。2桁、200倍近い増加です。これが、「供給が大幅に増える」という現象です。

1908年時点でどの程度フォードのコストが下がったかはわかりませんが、一台の車を組み立てるための時間（実働時間）は、従来の12時間から3時間以下になったといいます。例えば従来の半分のコストでできるようになったと仮定しましょう。競合が価格1000ドル、コスト800ドルと仮定すると、儲けは200ドル。これに対し、フォードは少し安く850ドルで売り、コストが半分の400ドルならば、フォードは一台当たり450ドルの儲けとなります。ただでさえマージンが大きくなっているのに加え、安くてどんどん売れます。フォードは「プロダクトの価格との間に大きな利潤が発生してざくざく儲かる」ようになりました。

さらに、こうして広く普及した自動車を使って、その後多数の新しい商売が生まれ発展したことは説明するまでもないでしょう。「これを使った新しい事業が多数登場して、大きな産業になる」ということです。

第4世代における製造業の富の源泉

フォードの頃すでに末期にあった第3世代「帝国主義経済」は第二次世界大戦で終わり、その後は他国を収奪せずに、このように技術で富を生み出すやり方が主流となりました。よい時代になったものです。

20世紀は、基本的には「製造業の時代」であったといえます。製造業は「雇用を生み出す」仕組みとして現代でも頼りにされているのですが、その給料の原資となるマージンを生み出す源泉は、フォード方式をさらにパワーアップする、大量生産体制における「製造機械」と「金型」です。

これらを駆使すれば、「同じモノを大量に作って売る」ことができます。機械も金型も、それ自体は高価なものですが、ものすごく大量に同じモノを作って、それがたくさん売れれば、製品一個当たりのコストは大幅に下がります。T型フォードでは、人件費が減ったわけですが、製造機械と金型を使えば、もっと大幅にコストが下がります。

たくさんの製品を機械で作っても、それがたくさん売れなければコストは下がりません。このため、「効率的な営業・販売の仕組み」も製造業では重要です。営業部門の人件費や広告宣伝にお金をかけたとしても、その分たくさん売れれば、製造量が増えてコストが下がる効果が増大して、お釣りが戻ってきます。製造業での販売増大は、売り上げ拡大とコスト低減という、ダブル効果があるのです。製造に直接関わる人たち以外に、営業、広告宣伝、修理サービスなどの雇用を作り出し、また大規模な組織を運用するために必要な人事・財務などの間接部門も作り出し、さらにサプライヤーや販売網などの裾野産業も拡大しました。

フォードでは、従業員に支払う給料を、それまでの倍、一日5ドルまで引き上げたことでも知られています。これにより、従業員が自分たちの作った自動車を買うことができるようになりました。少数のお金持ちではなく、多数の人たちが「消費者」という大きなパワーになり、経済の主役となったのも、20世紀の特徴です。

こうして、自動車や機械の製造業が、20世紀の富を生み出し、雇用を作り、経済が回る仕組みができあがりました。

デジタル化とムーアの法則が生み出す富と「第5・0世代」

しかし、そんな製造業のマージン発生能力も無限ではありません。ある程度までいくと、経済学の教科書にある「収穫逓減《ていげん》の法則」グラフの右端、コストが上がりだすフェーズに突入します。それでもそれ以上コストを下げようとすれば、「身を削る」、すなわち、より人件費や工場稼働コストの安い国との競争に負ける、人件費の安い国に製造を移行する、限界を超えて人に過剰労働をさせる、といった事態になってきます。また、別の形の「収奪」が始まるのです。アメリカは、1980年代の日本との貿易摩擦の時代にこの事態に直面しました。

一方で、テック業界ではその頃パソコン時代からネットワーク時代にあたり、シリコンバレーが成長し、世界各地で新しいテック産業が誕生して、「デジタル化」の大波がやってきました。コンピューターやハードディスクが進化し、アナログ・レコードはCDに、ビデオテープはDVDに、携帯もデジタルになるなど、いろいろなモノのアナログからデジタルへの変換が進み、コンテンツやサービスを提供するためのコストが劇的に下がりました。

1985年にはマイクロソフトのWindows1.0が発売となり、90年代にはマイクロソフト・オフィス（ワード、エクセル、パワーポイント）と電子メールが普及して、普通の職場でもパソコンを使って仕事をすることが当たり前になりました。半導体の開発が進んでどんどん半導体の集積度が上がり「ムーアの法則」と呼ばれました。

ムーアの法則とは、「集積回路上のトランジスタの数は2年ごとにほぼ倍になる」という現象です。実際のICチップ上のトランジスタ数を時系列で指数関数グラフにすると、この法則の通りに右上がりのグラフになるのが、ちょうど1976年から2007年にかけての時期で、アップルの創業から始まりiPhoneの登場の年までとも重なります。

光ファイバーの進化においても、1980年代から最近まで、ちょうどムーアの法則と同じような指数関数グラフを描くことができます。道路を掘って敷設する手間とコストが同じで、その回線に詰め込めるチャンネル数、つまりつなげられるお客さんの数が一気に数百倍になれば、お客さんあたりの伝送コストが数百分の一になります。

こうして、デジタル化・ムーアの法則・光ファイバーなどの技術要因が各種デジタル製品やその利用のためのコストを劇的に下げ、従来よりも少し安いぐらいの価格で販売すれば、そこに大きな利潤が発生しました。

「技術要因によるコストの低下と供給の増加」というと、第4世代と同じカラクリですが、「デジタル」な世界でのこの変動は、物理的にモノを作ったり動かしたりするのに比べ、さらに身軽に大幅に変動します。

ここまでの「大航海時代」とか「帝国主義」とかに比べると、スケールがかなりみみっちくなりますが、ここまでの製造業とは違うメカニズム、すなわち「デジタル」により富が生み出されるフェーズを「第5世代」、このうち初期のシンプルなデジタル化を「第5・0世代」と呼ぶことにします。

シンプルなデジタル化では、お金のやりとりは「CD／DVD」や「パソコン」という、デジタル化された「モノ」を売るスタイルで行われました。販売の仕方もおもに小売店の店頭や営業員が販売するという第4世代製造業の延長でした。この時代、それまでに高品質なモノづくりというブランドを確立していた日本のエレクトロニクス産業は、大いにデジタル化の恩恵を受けて躍進しました。

このフェーズでのデジタル化は、従来のアナログ製品各種の生産体制をアップグレードする程度でよく、流通ルートも変更する必要がなく、むしろデジタル化によって製品の体積が小さくなったり壊れにくくなったりして、お店にとってはコストが下がるありがたい変化でした。お客さんも、従来よりも高品質なものをより安価に入手できました。どこも破壊（ディスラプト）されることなく、参加者全員に恩恵がもたらされたので、製造業時代の旧体制がそのまま維持でき、スムーズに時代が移行していったのです。

1990年代のインターネット登場後も、しばらくはまだまだ「第5・0世代」的な商売が続きました。ドットコム・バブルにおいて、ゴールドラッシュのように乱立した泡沫ベンチャーのおもなビジネスモデルは「物販」でした。こちらも、別の形で「物理的なモノ」を介してお金を儲けていたわけです。

しかし、物販で販売されるものは一般の商品で、物流のコスト構造はムーアの法則の恩恵を受けないので、多くのベンチャーは結局、物流コストの重みで自壊していきました。この時代に一番地歩を確立したのは、これらの「ゴールドラッシュ的」ベンチャーを相手に、

「リーバイスのジーンズ」＝サーバーや回線などを提供する、シスコシステムズなどのインフラ・ベンダーたちでした。それまで物理的なオンライン物販型プレイヤーの一つであったアマゾンは、この次のフェーズでＡＷＳ（Amazon Web Service）という「リーバイス型」へと拡大しますが、その前にすでに巨大化に成功し、ドットコムのうち最後の生き残りとなっていました。

しかし、デジタル化というのは「1回きり」の現象です。オセロの白と黒が反転するように、いったんアナログからデジタルに切り替わると、効果はそこで終わりです。そこで生み出された過剰マージンは、その後競争によってだんだんと適正なレベルまで下がっていって終わりになります。

ソフトウェアが世界を食べる「第5・5世代」

その後、バブル崩壊をはさんで、２０００年代半ばのソーシャル、モバイル、クラウドの時代に至ります。この時期に、さらに新たなビジネスモデル転換が起こったと私は考えています。現在に至る「第５・５世代」への突入です。

このフェーズで、日本のエレクトロニクス業界は力を失ってしまいます。特に、私がニューヨークでＮＴＴや携帯電話ベンチャーに勤めていた頃に間近で見た、携帯電話はその典型的な事例でした。

いまでは信じられないですが、1990年代前半までのアナログ携帯電話機では、日本メーカー（NEC、富士通、松下電器産業（現パナソニック）、三菱電機、京セラ、三洋電機など）を全部合わせると、アメリカ市場で国別最大のシェアを持っていました。

1993年、日本はアメリカより数年早く携帯電話システムのデジタル化（2G）を開始し、96年着メロ、99年iモードとカメラ内蔵携帯を提供するなど、デジタル携帯で世界の最先端を走っていました。この間、日本では加入者が激増する一方、日本は携帯メーカーの数が多かったので、日本のユーザーに合う高度な機能やすてきなデザインを追いかけて国内で消耗戦を戦っていました。一方、アメリカではデジタル方式の標準化に手間取って混乱していたので、日本メーカーの多くがここでアメリカ市場に興味を失ってしまいました。

アメリカではようやく2000年代半ばの3G導入で標準化の混乱が収まり、そのタイミングでスマートフォンが普及し、欧州へも広がりました。しかし日本では、他の国には合わない日本市場だけで独自に高度な発達を遂げた非スマートフォン（フィーチャーフォンとも呼ばれる）から脱することができず、スマートフォンへの流れに乗り遅れてしまいました。ガラパゴス諸島の動物のように隔絶された世界で独自に発達したため、非スマホを俗にガラパゴス携帯＝ガラケーと呼ぶようになりました。スマホが始まった時点で、アメリカではすでに日本メーカーの大半が消え去ってしまい、現在はかろうじてソニーがアメリカでスマホを提供しているだけとなってしまいました。

携帯の場合は「デジタル方式の標準化混乱」という要素もあったのですが、一般的に日本メーカーが得意な「モノづくり」が通用しない時代になってきました。エレクトロニクスの世界では、日本メーカーは「モノそのものに価値があるので、それを高度化して魅力的にして売る」ことに邁進《まいしん》してきたのに、実は「モノそのものに価値があるのではない」ということがバレてしまいました。「モノを介さずに価値を伝える」ことができるようになってしまったのです。デジタル化初期の日本エレクトロニクス産業の繁栄は、「第4世代的なモノづくり」の最後の輝きでした。オランダが、インドネシアを拠点として日本にまで至った、アジア香辛料貿易での最後の輝きに似ています。

現在、スマホの端末そのものは、かつてのガラケーほど、デザインに凝りません。搭載しているコンピューターの性能やカメラ機能での戦いになっています。それは、その上で動くアプリ／ソフトウェア、およびそれで実現するサービスの価値を高めるからです。

すなわち、「物理的なモノを介さない、本格的なソフトウェア中心の世界への移行」です。ソフトウェアも、それを使うためのパソコンやモバイル機器も、その前の時代からありますが。そのため、ちょっと見にはそれほど大きな転換には見えないので、「第6世代」ではなく「5・5」としました。この転換は徐々に起こっていて、現在も進行中のものであり、ある日突然何かが起こったわけではありません。

こうした転換が始まったのは、2004年にグーグルが上場した頃でしょう。別に上場のせいで転換が起こったのではありませんが、同社は第5・5世代の象徴的な存在です。

グーグルは1998年の創業。それまでは、ハードウェアのコストが制約となって、「蓄積データはなるべく少なく抑えよう、不必要なデータは消去しよう」というのが普通のやり方でしたが、この時代の設備のだぶつきのため、「どうせ安いのだから、データはできるだけ蓄積しておき、それを使って別のものを作ろう」「量はある時点で質に変換する」という、全く逆の思想が可能になりました。グーグルは、すぐ壊れることを前提とした安いコンピューターを数多く使い、一部の機械が壊れても大丈夫な分散型のコンピューター処理の仕組みを導入して、それまでの「壊れないように、堅牢に高コストをかけて機械を作る」という考え方を根本から変えました。

何か重要なモノの需要供給関係が急激に大きく変わり、それが技術革新の引き金となる、というタイミングがときどきあります。石油が大量に見つかった19世紀の終わりに自動車が登場したように。データが「21世紀の石油」と呼ばれる所以です。

グーグルは、供給過剰になったデータを材料として使い、サーチ広告をネット上で販売する仕組みを整えて、物販を介さない、全くのサービスのみでお金を儲けるモデルを確立しました。フェイスブックも、ソーシャル・メディア上で広告を販売する、類似のビジネスモデルです。

従来も、サービスを直接販売するという仕組みはありました。医師、弁護士、美容師などのプロフェッショナル・サービスや、電話・電力・水道などの公益サービスがその典型です。グーグルなどでは、単価は小さいけれど、ものすごくたくさんの顧客に販売することで成立するので、後者の公益サービスに近い性質を持っています。私が以前勤めていたNTTでは、「3分10円」の電話料金を回収するための巨大な課金システムと組織を自前で持っていましたが、第5・5世代では、オンラインでの支払いが整備されたおかげで、巨大な自前の仕組みがなくても料金回収が可能になりました。

ネットフリックスはこの時期に、従来の映画DVDレンタルを大幅に縮小し、オンラインによる動画コンテンツの配信へと転身し、さらに自前のコンテンツ制作へと進んでいきました。「中身＝コンテンツ」の価値がますます高まっていきます。アマゾンでも、音楽・映像・電子書籍などのデジタル・コンテンツの比率をだんだん増やしました。物理的なモノを介さない、ソフトウェア・オンリーの商売で儲けが出るようになったのです。

こうした状況を評して、シリコンバレーの有名人であるマーク・アンドリーセンは「ソフトウェアが世界を食べている（Software is eating the world）」と言っています。彼は、インターネット草創期に「ブラウザー」を作り、現在は有力ＶＣアンドリーセン・ホロウィッツ（Andreessen Horowitz）のトップとして、大きな影響力を持っている人です。この用語は、現代のシリコンバレーを表現する言葉として、広く知られています。

アルゴリズムは現代の金型

２００６年、グーグルの技術者などが大きく関与したHadoop《ハドゥープ》など「ビッグデータ技術」のオープンソース・ソフトウェアが登場し、その後多くのオープンソース・ソフトウェアがビッグデータを支えていきます。

オープンソース・ソフトウェアとは、「誰でも開発に参加でき、誰でも無料で使えるソフトウェア」のことです。自由に使えるとはいっても、特定の組織が管理しており、開発も使い方も一定のルールに従う必要があります。一社内で開発するよりも開発速度が速いという利点がありますが、この一つ前の時代、マイクロソフト・オフィスのように「ソフトウェアそのものをディスクに入れて販売」という第５・０世代方式の商売は成り立たなくなってしまいます。

グーグルの場合は、無料で使えるオープンソース・ソフトウェアを使ってサービスを作って提供し、サービスに対する料金（広告またはサービス料金）で儲けるというビジネスモデルです。

「マイクロソフト・オフィス全盛」の時代と、最近の「ソフトウェアが世界を食べる」時代の違いはここにあります。ソフトウェアは、サービスを作り出す「工場」の立場です。それ自体を売るのではないので、ソフトウェアは無料のオープンソースでもよいのです。

アマゾンの場合はソフトウェアを格納するサーバーなど、ネットサービスのインフラを有料で提供するＡＷＳで支配的な地位を築きました。ＡＷＳを使うのはおもにネット上で各種サービスを提供する事業者で、サーバーのハードウェアを買うのではなく、一定の料金を払ってＡＷＳの設備を使う仕組みです。現在、アマゾンの儲けは、表向きの「物販」ではなく、この裏方商売からあげています。

マイクロソフトも、現在のサティア・ナデラＣＥＯになってから、Microsoft Office365をオンライン提供し、クラウド・インフラのMicrosoft Azureを企業向けを中心に有料提供する体制にシフトしており、王者ＡＷＳの最大のライバルとなっています。**「リーバイ・ストラウス原則」はいまでも生きているというわけです。**

そして、スマホという「ハードウェア」の王者だったアップルですら、最近は「サービス会社に変身する」と高らかに宣言しています。

ソフトウェア・ベースのサービスが富を生み出せるのは、ソフトウェアの「スケーラビリティ」のおかげです。スケーラビリティは、日本語では「拡張性」と訳されます。一つの仕組みを変更せずに処理量を増やせる能力のことです。サービスを作り出すための工場の生産能力というわけです。

ソフトウェアは「アルゴリズム」の塊です。アルゴリズムとは、ものごとの「やり方、手順」を、繰り返し同じやり方ができるように記述したものです。料理のレシピのようなものと考えてください。コンピューターにおいては、この記述は「計算式」として表現されます。

ソフトウェアのアルゴリズムを書くのは大変です。開発費も人件費もたくさんかかります。しかしいったん書いてしまえば、そこにデータを入れて自動的に答えがどんどん出ます。とても頭のよい人たちが考え出した「すごく効率のよいやり方（すばらしいレシピ）」がアルゴリズムの形で固定化され、誰でもそのやり方を使えるようになるというわけです。その結果をサービスの形にして販売すれば、ほぼ無限に（サーバーやネットワークの容量という制約はありますが）追加コストがほとんどなくサービスを販売できます。物理的なモノを作る製造業では、自動車ならば鉄やプラスチックなどの原材料が必要ですが、ソフトウェアでは原材料はほとんどなく、変動費は電気代や販売コストなどだけで済みます。最初の開発費やサーバーなどの設備費の固定費を回収した後は、どんどん儲かるようになります。

製造業的にいえば、「アルゴリズムは現代の金型」であります。これはシリコンバレーで全く無名な私がつくった言葉です。

私のビジネスモデルの歴史的な分類でいえば、「第4世代（製造業）と第5・5世代（ソフトウェア）」が、それぞれの形で「金型効果」を活用した金儲けの方式ということになります。

さらに、集まるデータ量やユーザー数が多くなればその分、「プロダクト」もよくなり、ユーザーにとっての価値が増える傾向があり、この性質をうまく使えば好循環に入れます。例えば、グーグルの検索結果はデータが大量・多様に集まるほど正確になりますし、フェイスブックでつながれる相手の数が増えれば利便性がますます増えます。そうすると、ますますユーザーが増えます。この好循環に入ると、あとから新規参入者が同じことをしようとしても追いつくことは難しくなり、「参入障壁」ができます。ここまで行くと、その企業は盤石な基盤を持つこととなり、安定します。

この循環に入るために、当初は損を覚悟で安価や無料でサービスを提供することもよく行われます。サービス料をユーザーから受け取る場合、「無料お試し」部分を大きくしてサービスを体験してもらい、ある程度の使用量や高い機能を必要とするユーザーだけに課金する

「フリーミアム」という方式も広く普及しています。

なお、サービスをどういう形で「マネタイズ（金銭化）するか」については、時期により変遷があります。そもそも、ネットビジネスでお金を受け取るやり方は、おおまかにいって「物販」「広告」「サービス料金（サブスクリプション）」の3つです。このうち、ドットコム時代の「物販」が最初に出現し、その後グーグルやフェイスブックのような「広告」モデルが主流となり、最近ではネットフリックスのように月々の料金を払う「サブスクリプション」モデルが多くなってきています。

このように、物理的なモノを介さずに、お客さんからお金を受け取る仕組みを使い、「アルゴリズムという金型」を使って富を生み出すというやり方が、「第5・5世代」という最新の金儲け方式です。

第5章　ベンチャー資金の正体

お金の源泉は3種類

前述のように、シリコンバレーでベンチャーが盛んに起業し大きく育つ背景には、地元で自前の「マネー・マーケット」を持っていることが重要な要因です。

ウォール街や兜町には、地元からだけでなく世界中から資金が集まります。これと同じように、シリコンバレーのマネー・マーケットにおいても、地元だけでなく世界のいろいろな投資家からお金が集まっています。

大きく分けると、3つの資金源があります。個人、企業（事業会社）、そして機関投資家です。それぞれが、直接ベンチャーに投資するケースと、各種の「投資ファンド」にお金の運用を委託し、そのファンドがベンチャーに投資するというケースとがあります。

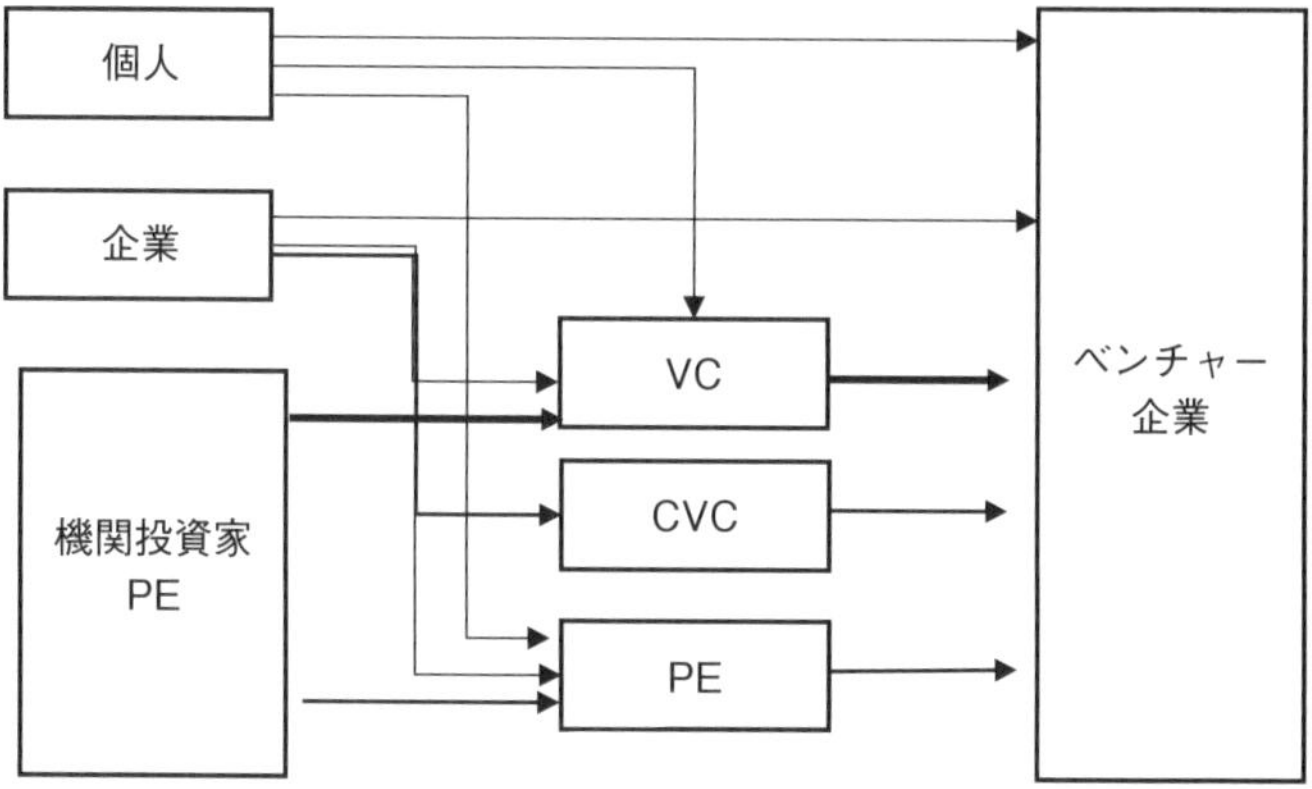

ベンチャー資金の流れ

投資ファンドはプライベート・エクイティ（PE）と、PEの一種であるベンチャーキャピタル（VC）とに分けられます。VCの中でも、伝統的な専業ファンドと異なり、事業会社がVCを自前で運用することもあり、こうしたものをコーポレート・ベンチャー・キャピタル（CVC）と呼びます。

一般のベンチャー資金に関する記事などでは、ベンチャー企業から見て直接の資金の出し手、すなわちVCなどを話題にしますが、ここではお金の流れを理解するために、そもそもの資金の源泉から見ていきましょう。

この分類と資金の流れを図にすると、上の図のようになります。

富裕な個人

第1部でも見てきたように、「富裕な個人」というのは、ベンチャーにおいても一般の投資活動においても、最も古い投資の形態です。現代のベンチャー投資においても、初期の段階で少額のお金を出す部分は個人である場合が多いのです。

起業して最初に、創業者が当面の生活費をまかなえるぐらいのちょっとした資金を「小金持ちのおじさん」や「オプションでちょっと儲けた友達」に出してもらうケースは非常に多くあります。一般人でも、シリコンバレーに長く住んでいれば、昔の同級生や同僚などから「お金を出してもらえないか」という話を一度や二度はもちかけられた経験があるのが普通といってよいでしょう。先日も、ウーバーに乗ったらその運転手さんから、雑談のついでに「故郷の国から植物油を輸入販売する会社を立ち上げて、投資家を探しているのだが」と言われました。まさに、「シリコンバレーあるある」です。

最近では、「クラウド・ファンディング」という仕組みができて、ますます個人でベンチャーに投資する門戸が広がっています。少額であっても、会社への投資にはそれなりにきちんと書類を整える必要があり、投資を受けるほうとしてはただでさえ忙しいのに、わずかな金額を出す人にこまごま手続きをしたくありません。

そこで、クラウド・ファンディングの会社が細かい金額を束ねて、ベンチャーに投資します。個人はそのクラウド・ファンディングとの間で、オンラインで種々の出資手続きとお金のやりとりを行います。一人当たりの「ミニマム投資額」は決まっているのが普通で、先日この仕組みで資金を集めた私の友人の場合、ミニマム金額が５０００ドル（約50万円）でした。ＳＥＣ（Securities and Exchange Commission：証券取引委員会）の決まりで「有資格投資家」であるという証拠の提出もしなければなりません。このＳＥＣのルールは、「一定以上の収入または資産を持っており、非上場企業への投資のリスクを理解し、それに耐えうる人」でなければベンチャー投資はダメ、とする一般投資家保護の仕組みです。

もっと大きいスケールでは、過去に起業に成功した人や、成功したベンチャー企業の従業員として株式オプションで大きく儲かった人などが、「個人事業」として初期のベンチャーにまとまった額を投資することがあります。こうした投資家は「エンジェル投資家」と呼ばれます。ベンチャーから見ると、天使のように優しくてありがたい投資家です。

アマゾン創業者ジェフ・ベゾス級のお金持ちになると、非常に多額のお金を出すこともあります。また、こうした富裕な個人がＶＣやＰＥにお金を入れることもあります。

個人投資家がベンチャーに投資する場合は、最終的には金儲けがしたいとしても、創業者となんらかの個人的な信頼関係があるか、またはベンチャー企業の思想や目的を応援するといった、心情的なつながりがあることも多いのです。

企業からのベンチャー投資

一般事業会社も、いろいろな形でベンチャーに投資を行っています。最もシンプルなのは、企業から直接ベンチャーに投資するという形です。例えば、自動車メーカーが自動運転技術を開発するベンチャーに投資する、などのように、自社の本業に直接関係のあるものに投資するというケースがあり、最近は以前よりもこのケースが増える傾向にあります。

しかし多くの場合、直接投資ではなく、ＶＣを経由します。一般のＶＣに資金を委託して運用してもらうケースが多く、また自社の資金だけを専用に運用するＣＶＣを設立することも最近は多くなっています。

なぜかというと、後述するように、どのベンチャーが有望なのか、どんな金額でどんな評価額で投資するのか、といったベンチャー投資の作業は、特殊なスキル・経験・人脈を持ち、担当者が四六時中ベンチャーに会い評価リサーチに全精力をつぎ込むことが必要で、片手間ではない専門家が必要だからです。そして、スジのよいベンチャー企業ほど、高いスキルを持ったよいVCのところにまず投資をもちかけるので、よいＶＣに参加するほうが、自前の投資よりもスジのよい案件が入ってきやすくなります。

事業会社の技術者は、自社事業と関係のある技術の良し悪しはある程度評価できますが、それはベンチャー投資のために検討する事項のごく一部分に過ぎず、それ以外の部分の評価はできません。また破壊的な新しい技術はしばしば、既存企業から見ると「なんじゃーこりゃー」なものも多く、事業会社の技術者はバカにして切り捨ててしまうこともあります。優秀な企業ほどイノベーションを起こしづらくなる「イノベーションのジレンマ」です。

CVCを自前で運用するためには、ベンチャー評価のスキルを持った専門家を外部から雇うか、または自社のスタッフを張り付けて、ある程度の時間をかけて育てる必要がありまず。このためコストも時間もかかりますが、完全に自社の意向を通す投資をするためにCVC設立を選ぶ企業もあり、ここ数年増える傾向にあります。

機関投資家

機関投資家とは、投資信託、年金基金、企業財団、寄付ファンド、政府系ファンド（ソブリン・ウェルス・ファンド）など、個人や団体などが拠出した資金を有価証券（株・債券）で運用・管理する組織です。ベンチャー投資の最大の資金源はこの機関投資家です。

例えば、世界の機関投資家のうち資金量の大きいものトップ10を挙げると、次ページの表のようになります。

名称	投資資金量（$bn）	分類	国
CPP Investment Board	54.8	公的部門年金基金	カナダ
Kuwait Investment Authority	52.4	政府系ファンド	クウェート
Abu Dhabi Investment Authority	41.3	政府系ファンド	UAE
GIC	39.5	政府系ファンド	シンガポール
CDPQ	29.1	公的部門年金基金	カナダ
APG	28.0	投資信託	オランダ
CalPERS	26.9	公的部門年金基金	アメリカ
Ontario Teachers' Pension Plan	26.1	公的部門年金基金	カナダ
China Investment Corporation	22.1	政府系ファンド	中国
National Pension Service	21.3	公的部門年金基金	韓国

世界の機関投資家トップ10（2018年5月現在）

出典：Preqin

表の元となった資料では、機関投資家全部ではなく10億ドル以上の資金量を持つ投資家だけを調べています。カテゴリーごとの資金量の内訳は、公的部門年金基金が30％、民間年金基金16％、保険会社12％、投資信託10％、寄付金運用管理6％、そのほか銀行、財団、政府系ファンドなどとなっています。公共と民間を合算すると、「年金基金」が46％で、全体の半分近くを占めています。

トップ10では、中東やアジアの政府系ファンドが4つ入っていますが、個々の基金の資金量は大きい割に、全体の中では政府系ファンドは4％に過ぎません。むしろ、個々の規模は小さいけれど、民間の年金基金や保険会社のほうが数は多く、全体としてははるかに大きな比率を占めています。地域別では、北米が54％で最大、これに欧州が28％で続きます。

個別基金の規模と全体の比率の両方で大きいのが、「公的部門年金基金」です。このうち、表でも挙がっているカリフォルニア州公務員退職年金基金（CalPERS）はアメリカ最大の年金ファンドであり、シリコンバレーのVCでも巨額を運用していることで知られています。

そのほかの例を挙げると、例えば民間年金基金は「シェル（石油会社）年金基金」、投資信託は「フィデリティ・ファンド」、寄付金運用管理は「ハーバード大学寄付ファンド」、財団は「フォード財団」などといったものがあります。

機関投資家は、多種の「リスクとリターン」の投資を組み合わせて「ポートフォリオ」として運用します。上場企業の株や社債、国債、不動産などに加えて、PEやVCにも投資します。ベンチャーに直接投資する事例もたまにありますが、あまり多くないので、83ページの図では矢印を入れてありません。どのルートであっても、機関投資家がベンチャーに投資する目的は、純粋に投資リターン、すなわち金儲けです。個別の技術や企業の理想などに興味があるわけでもなく、本業とのシナジー（相乗効果）も競合関係も考える必要がなく、中立的に投資効果を目的にお金を動かします。

ベンチャーキャピタル（VC）

では次に、83ページの図の中では左（もともとの資金の出し手）と右（出資を受けるベンチャー）の中間に位置するグループ、すなわち資金の出し手が資金運用を委託し、ベンチャー企業と直接相対するVCとPEについて見てみましょう。

VCはPEの一種で、シリコンバレーで「花形」の存在です。これまで述べたように、ベンチャーキャピタリストが自分のポケットマネーでやっているのではありません。VCは、期限を区切って「○号ファンド」という形で資金を集めます。資金の出し手は機関投資家が多く、一般企業が投資することもあります。これらの他人のお金を預かり運用します。資金の出し手からは、手数料としてマネージメント・フィーを受け取ります。

VCはベンチャー企業を専門として投資する基金です。「ベンチャー企業」とはすなわち、上場していない企業のことですから、「この会社の株を買いたい・売りたい」と思っても、公開市場で売り買いすることはできません。個別にその企業と交渉することになります。

また、上場企業に課される情報公開の義務がなく、財務状況が外からではわからないので、企業の評価は公開企業とは異なる手法が必要になります。実際に株を買うという段になれば、守秘義務契約を結んで財務状況を開示してもらいますが、それでも売り上げや利益がほとんどない状態で将来性を評価しなければなりません。

このため、VCではいろいろな手法を組み合わせて企業を評価します。創業者や経営幹部の人物、過去の経歴、業界での評価、将来ビジョンなどは大きな評価ポイントになります。プロダクトそのものがどれだけ成功の見込みがあるか、特許などの技術資産を持っているか、などの評価も重要です。

このため、それぞれのベンチャーキャピタリスト（人）は、得意とする業界・分野や範囲（本拠とする国や地域など）をある程度絞ります。VC（ファンド）はその業界を得意とする人や実務経験のある人を雇い、その人の市場や技術の知識と人脈を活用します。定型的に分析できる部分が少ないため、経験や調査スキルが重要です。同じ理由で、創業からあまり時間が経っておらず規模の小さい（アーリーステージ）ベンチャーを得意とするところ、逆に時間が経ってすでに大きな規模まで育った（レイトステージ）ベンチャーを得意とするところなどもあり、またステージや規模にこだわらないことを標榜するVCもあります。

ベンチャーキャピタリストは、膨大な数のベンチャーや関係者とひたすら会い、展示会では端のほうにある小さなブースをこまごま見てまわり、ネットで情報を収集し、統計を研究し、技術を勉強し、その業界や競合状態をリサーチし、投資条件や契約関係を整え交渉する、といった、非常に体力を要する仕事をするのです。

VCはまた、投資した相手（ポートフォリオ企業）に対し、事業が成功するように種々の支援を行うのが普通で、取締役会のメンバーになったり、技術アドバイザーや提携先相手などを紹介したりします。この面に特に力を入れていることで知られるのが、現在のシリコンバレーでトップクラスとされるアンドリーセン・ホロウィッツです。ポートフォリオ支援のための部門を持ち、大手企業とのマッチアップのイベントを行ったりするなど、積極的な支援方針で知られています。

投資家から見て、ベンチャー投資と上場会社の株式への投資の最大の違いは、リスクとリワード（儲け）のバランスです。ベンチャー投資の場合、失敗してゼロになってしまう確率も高いですが、大成功すれば儲けが大きく、それが100のうち1社でもあれば、それで十分な投資益が得られます。このため、投資先ベンチャーが成功する確率を上げるためにVCが支援するというのは理にかなっています。

ただし、ベンチャー企業自身とVCの意見が合わないこともあり、またVCは投資利益のうちなるべく多くを欲しがりベンチャー創業者と対立することもあるので、VCとベンチャー企業の間の関係性はいろいろです。

トップのVCの事例としては、いろいろな評価方法がありますが、まずは「評価の高いベンチャーキャピタリストが多く在籍しているところ」として、ニューヨークタイムズとCB Insightsは次の各社を挙げています（いずれも２０１９年の評価）。

- Accel
- Andreessen Horowitz
- Benchmark
- Index Ventures
- Sequoia Capital
- Bessemer Venture Partners
- Founders Fund
- GGV Capital
- IVP

また、ステージ別で２０１８年にベンチャーに投資した件数ランクから、アメリカのものだけを取り出すと、次ページのようになります。

〈アーリーステージ〉

・IDG Capital
・Y Combinator
・Accel
・New Enterprise Associates
・500 Startups
・GGV Capital
・Sequoia Capital
・GV
・Andreessen Horowitz
・Intel Capital

〈レイトステージ〉

・Goldman Sachs
・New Enterprise Associates
・Bessemer Venture Partners
・Sequoia Capital
・Accel
・Andreessen Horowitz
・IVP
・GV
・Lightspeed Venture Partners
・Kleiner Perkins

アーリーステージに位置するワイコンビネーター（Y Combinator）と500スタートアップス（500 Startups）は、「アクセレレーター」という業態をとっています。アクセレレーターは初期の起業支援を行う事業で、教育やメンタリングを提供し、少額の投資もしてベンチャーの株を取得します。定期的に定員を決めて参加ベンチャーを公募し、合格したベンチャーだけが参加できます。オフィス・スペースを提供するものも含め、他にも多く存在しますが、この2社はその代表的なものです。

コーポレート・ベンチャー・キャピタル（CVC）

CVCは、VCの一種です。企業が自己資金でベンチャーに投資する際、本体から直接ではなく、投資主体をVCとして独立させる形で行うものです。

企業からのベンチャーへの投資は、本業の次世代技術探索、隣接分野への拡張、新規顧客の獲得・育成など、なんらかの本業との「シナジー」を目的とする場合がほとんどです。しかし、分野が近ければ近いほど、投資先ベンチャーが本業を共食いしたり破壊したりする可能性が大きいという問題があります。

このため、潜在的にライバルになるかもしれないベンチャーの場合、シリコンバレー駐在のベンチャー探索担当者が「よい」と思っても、本社に出資を打診すると「ダメ」と言われてしまうことがよくあります。これを避けて、よいベンチャーなら機動的に投資することができるよう、CVCという形で切り離し、さらにCVCでは「シナジーよりも投資リターン優先」という方針を掲げることも多くなっています。

しかし、それではそもそもの出資活動の目的とは矛盾してしまいます。この「シナジーと投資リターン」のバランス問題は、常にCVCではついて回ります。

成功しているCVCは、「自分の仲間（お客さん）を増やす」という方向のケースが多いようです。例えば、インテルやクアルコムの場合は、自分たちの半導体チップを使ってくれそうなベンチャーに投資します。また、セールスフォース・ドットコムの場合は、「自分たちのエコシステムを広げてくれる（セールスフォースの機能を使って新しいサービスを開発する）」ものに投資します。そして、最終的にはうまくいったベンチャーを買収して自社の一部にするケースも多くあります。いわば、「研究開発を外注する」ような役割を期待しているわけです。

CB Insightsによるトップ CVCは、次のようになります（2018年）。

・GV（Google Venturesから改称）
・Intel Capital
・Qualcomm Ventures
・Salesforce Ventures
・Novartis Venture Fund
・Johnson & Johnson Innovation
・Samsung Venture Investment
・Cisco Investments
・Comcast Ventures
・SR One

プライベート・エクイティ（ＰＥ）

プライベート・エクイティ（ＰＥ）は、定義としては株式市場に公開されていない未公開（プライベート）会社に投資する基金です。ＰＥは二つに大別され、一つは前述のＶＣ、もう一つはバイアウトファンド、ヘッジファンドなどと呼ばれる、その他の投資ファンドです。

通常は、業績がよくない低評価されている会社の株を買い、部門売却や人員整理を行って価値を高め、上場して売却益を得るといった活動をします。一回の投資で動く金額は1億ドル（100億円）の桁が普通で、VCよりも投資の単位が大きくなります。

ただし、PEがこうした形以外の投資活動を行うこともあり、後述するように、ベンチャー企業への投資も行うようになっています。

PEの一種として、VCとの中間的な性格を持つグロース・エクイティ（GE）を区別することもあります。GEは、一般的なVCよりもレイトステージの大きな未公開企業に対し、成長を促すための投資をするファンドです。

GEの代表的なものが、ソフトバンクグループとサウジアラビアの政府系ファンドなどが資金を提供するソフトバンク・ビジョン・ファンド（Softbank Vision Fund）です。これに対し、PEの代表的なものとしてはBlackstone, KKR, Carlyle Group, Tiger Mangementなどが挙げられます。

ベンチャー成長の標準的なプロセス

ここまで、アーリーステージやレイトステージなどの用語を突然使いましたので、その説明を少々加えておきます。

標準的なベンチャー企業の誕生と成長のプロセスを簡単にまとめると、次のようになります。

1　起業とフレンズ・アンド・ファミリー・ラウンド

起業家はまず、ビジネスや技術のアイディアを考え出し、仲間を集めて会社を作ります。この時点では、必要な資金をまず自分や仲間の自己資金でまかない、それでも足りない場合は、親兄弟、親戚、友人などから、「当面の生活費」程度のお金をかき集めます。

この投資段階は「フレンズ・アンド・ファミリー」ラウンドと呼ばれます。

2　シード／エンジェルラウンド

会社設立後、プロダクトを開発する中で、外部のややまとまったお金を入れる必要が生じてきます。「エンジェル投資家」が活躍するラウンドで、規模は数万ドル（数百万円）程度以上になります。設立当初から、フレンズ・アンド・ファミリーをすっとばして、エンジェル投資家のシード（種）マネーを調達するケースもあります。

また、この段階でワイコンビネーターなどのアクセレレーターに応募して合格すれば、支援とシード投資を受けることができます。競争率は非常に高く、狭き門ですが、著名アクセレレーターに合格したというお墨付きを受けたことになり、その後の資金調達が非常に有利になります。

3　アーリーステージ

本格的な開発にとりかかる段階に入ると、いよいよVCに資金を出してもらいます。通常、最初にVCが投資するラウンドをシリーズAと呼びます。だいたい数百万ドル（数億円）規模になります。最近は資金が大型化傾向にあり、シリーズAで1000万ドル（10億円）規模も珍しくなくなっています。

次のシリーズBではアイディアの段階を過ぎて、事業の構築ステージに入り、その次はシリーズCという順に、徐々に規模が大きくなります。VCの投資額も数千万ドル（数十億円）から場合によってはもう1桁上になります。

シリーズCまで生き残れば、すでにかなり成功したベンチャーと見られます。毎年、世界全体で3500万社が起業、そのうち「エンジェル投資」を受けられるのはわずか7万社、さらにVCから資金を受けられるものは1万社まで減るといわれています。ここまでの段階で、すでに激烈な淘汰を勝ち残ってきたことになります。

4　レイトステージ

次のシリーズD以上になると、レイトステージと呼ばれる段階に入ります。ベンチャーでは開発費の先行投資が売り上げを上回り、事業そのものは赤字が続くことが普通ですが、この段階にくると、そろそろ上場を見込んで、黒字が出るようビジネス体制も確立する必要があります。

最近は、この段階で長い時間を過ごし、上場せずに数億ドル（数百億円）以上の巨額の資金を調達するベンチャーが多くなっています。ドットコム・バブルの頃は創業から4～5年で上場というパターンが多かったのですが、最近は10年以上かかることが多くなり、上場するときにはすでに大企業に近くなっていることも多くあります。

5　エグジット

ベンチャー起業家のゴールは、エグジット（出口）です。自分の持っている株を換金できるようになるイベントのことで、株式上場（IPO：Initial Public Offering）と、ほかの企業に買収されるM&Aの二つがメインになります。

一般に、一株当たりの価格は最初のうちは安く、だんだん高くなっていきます。ですから、早いうちにベンチャーの株を買った創業者や投資家、給料の一部として株式オプションを安い値段設定でもらった従業員は、遅い段階で買った人よりも安く株を買っているので、うまくエグジットできればより大きな儲けが得られます。

上場する代わりに、グーグルなどの大企業や競合する企業などが買収しても、株を持っている人にとっては同じ効果があります。現金または買収したほうの企業の株をもらえます。

エグジットで大当たりすれば、場合によっては投資額の何十倍から何百倍といった、とてつもない大儲けも可能です。しかし、銀行のように担保も取っていませんから、失敗すれば投資したお金は完全にパーです。これが、ベンチャーの現実であり醍醐味です。投資家としてのVCは、多くのベンチャー企業に分散投資し、大当たり年とそうでない年があり乱高下するので、全体でならせば何百倍ということはありませんが、それでも安定した会社に投資するよりも高いリターンを得ることが可能です。

このようにベンチャー投資というのはハイリスク・ハイリターンです。個人に例えれば、子供の教育費のために、毎月の給料からコツコツと積み立てたお金をつぎ込んではいけない分野です。全部すってしまっても困らない大金持ちや、巨額の資金のうち一部を分散投資する機関投資家だからできる投資です。こうした性格を持つお金を「リスクマネー」と呼ぶこともあります。リスクマネーがあったからこそ、新大陸の発見も技術のイノベーションも起こってきました。大金持ちには大金持ちにしかできない役割があるのです。

第6章　シリコンバレー2010年代史

2010年代クラスの「卒業式」

さて、現在のシリコンバレーの金儲けについて考えるにあたり、ここまでの「金儲けの歴史」の続きとして、ここ10年ほどのシリコンバレーとテック業界の「現代史」を細かく振り返ってみましょう。

2019年、しばらく途切れていた「大型IPO（株式上場）」が相次ぎました。IPOはベンチャーの起業家・投資家・従業員にとっては、「卒業式」にあたる大きな金儲けの節目です。

特に注目されたのがウーバー・テクノロジーズです。いろいろな意味で、この10年を代表するのがウーバーであり、そのウーバーが創業したのは2009年です。その前年にリーマ

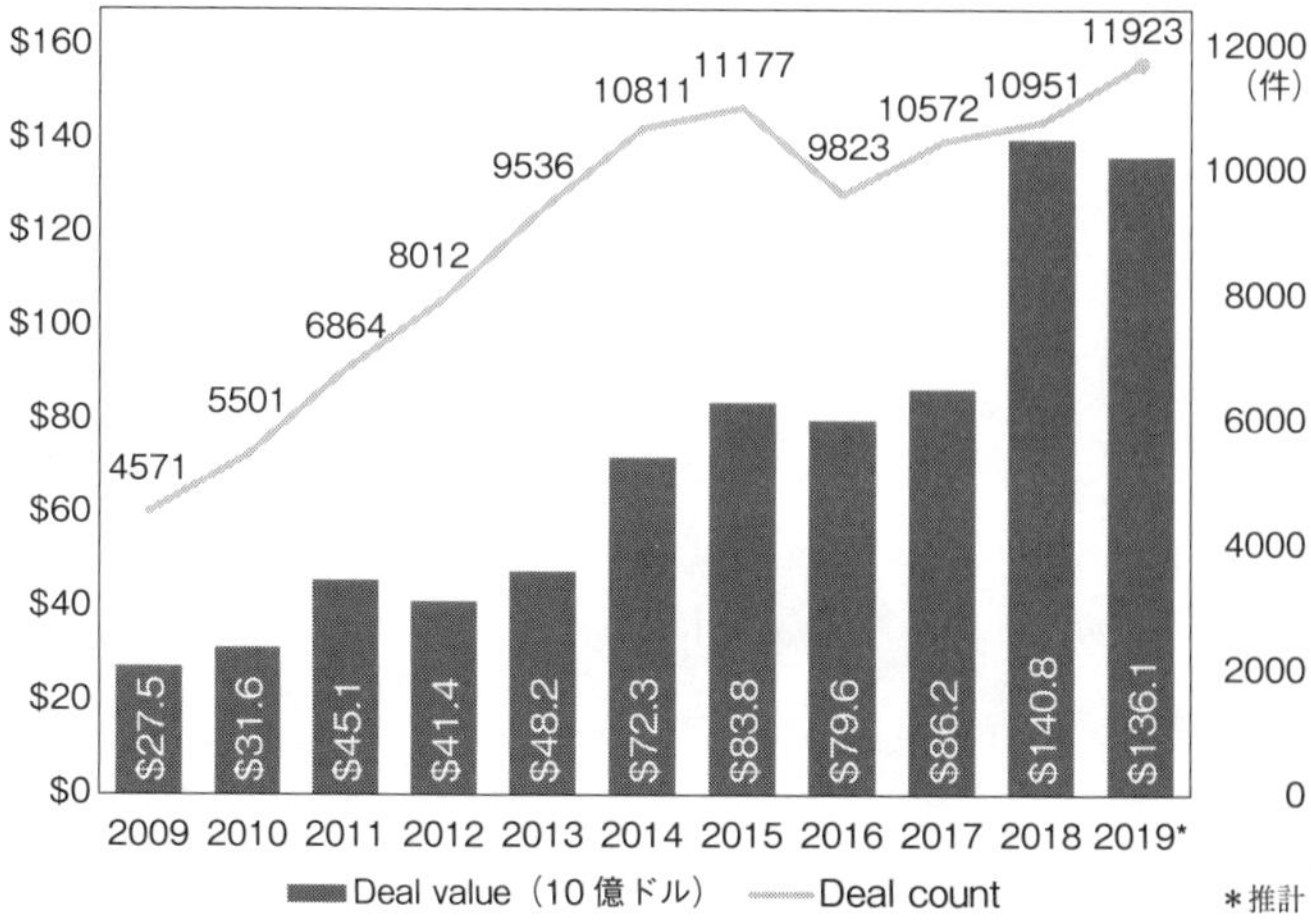

アメリカのベンチャー企業への投資金額とディール件数
出典：PitchBook-NVCA Venture Monitor

ンショックが発生したので、この頃をシリコンバレーの時代の区切りとし、２０１９年をこの時代のベンチャー企業の「卒業」の年とするとちょうど10年でわかりやすいので、ここを一区切りの時代と考え、もう少し詳しく見ていきましょう。

ベンチャー資金の動きの変化

２００９年から19年まで、アメリカのベンチャー企業に投資された金額の合計（棒グラフ）とそのディール件数（折れ線グラフ）は、上の図のようになります。

リーマンショックは２００８年９月に発生し、翌09年には、ベンチャーへの投資金額が落ち込みました。

その後増減を伴いながら徐々に回復し、２

015年に、投資金額と件数がいったんピークとなります。金額的には16年に少々下がり、その後また回復し、18年は急激な増加を見せ、19年もほぼ横ばい。一方、件数は15年のピークから16年に大きく減少、その後少しずつ持ち直し19年にピークを更新しました。

つまり、リーマンショック後から2015年までは、景気の回復に伴って新しいベンチャーがどんどん出現する「百花繚乱期」、16年から19年までは巨額の資金が集まる「メガディール期」ということになります。

技術・ビジネス面で、前期と違うこの時期を特徴づけるものとしては、AIの発達、IoTや自動車／モビリティへの注目などいろいろありますが、2019年の卒業クラスとして大きくまとめると、「スマホ、クラウド、データのコンボが、リアル世界に広がった」ということだと私は考えています。

2009年の「ケチケチ生活」ブーム

それではもう少し具体的に、順番に見ていきましょう。

リーマンショックは2008年9月に発生しました。その同じ月には、最初のAndroid端末が発売され、11月には大統領選挙があるなど、忙しい秋でした。

この前後の数年間、世の中の流れとして特に注目されたのが「エコ」です。2009年に就任したオバマ大統領は、種々のエコ技術奨励策を打ち出し、シリコンバレーでも、ソーラー発電などの「エコ技術」や「クリーンエネルギー」関連のベンチャーに投資が集まりました。とはいえ、エコ・エネルギー技術はすぐに儲けが出るものでもなく、ベンチャーとしてはあまり大きな成功が出ないまま、数年でブームは終息してしまいました。

しかし、この時代の風は、思わぬ形で別のベンチャー群を生み出しました。リーマンショックで失業し、「ケチケチ生活」を強いられた人が世の中にあふれる一方、お金を持っている意識高い系の人たちも、「モノを大切にしよう」「あまりガソリンを使わないようにしよう」という形で「ケチケチ生活」を志向するようになりました。

そんな流れの中で、「シェアリング・エコノミー」と呼ばれる一群のベンチャー企業が立ち上がりました。一番典型的な例が、民泊ブームのパイオニア、エアビーアンドビー(Airbnb)です。２００８年創業で、失業した人が、とりあえず自宅の空き部屋を人に貸すことで少しでもお金を稼ぎたい、ユーザーのほうは少しでも安くバケーションを楽しみたい、という双方のニーズが合致して人気を博しました。

エアビーアンドビーのユーザーから見た特徴は、なんといっても、地図の上にわかりやすく空き室が表示されるインターフェース（ユーザーへの見せ方・使い方）です。物件の場所、写真、料金、ユーザーの評価などの情報がたくさん表示されて選びやすいこと、宿主とのコミュニケーションや決済などがサービスの中で簡単にできることなど、他にも特徴があります。これらはすべて、この頃出現してその後成功したシェアリング・サービスに共通の特徴です。

同じく2008年、不動産系でもう一つ、ベンチャーが立ち上がります。ニューヨークの倉庫街で、ガラガラになった古いオフィスビルを安く借り、そこで「エコ」をテーマにした共有スペースを開設。失業してフリーランスになった人たちに会費制でデスクスペースを貸して仕事ができるようにした、コワーキングスペースの走りでした。これは「グリーンデスク」というベンチャーで、2010年に創業するウィーワーク(現社名はThe We Company)の前身でした。

ウーバーは2009年の創業ですが、当初は現在のような「ライドシェア」ではなく、「黒塗りハイヤーをスマホで配車する」というサービスでした。日本では執筆時現在でもこの形態だけが許可されており、アメリカでも「ウーバー・ブラック」というクラスのサービスとして残っています。実はこれがウーバーの原点だったのです。

少し前に戻って、リーマンショックより前の2007年に、「ジムライド(Zimride)」という小さな会社がサンフランシスコで立ち上がりました。「エコ志向」と、「車を持てない低所得層が構造的に差別されるクルマ社会はよくない」という社会理念をベースに、「ライドシェア」のサービスを開始。最初は、学生同士が同じ方向に旅行する場合にカープール（乗り合いにして、ガソリン代を割り勘する）できるようにマッチングするサービスでした。次第に「一般人同士がカープールする」という形態に広がり、12年、スマホで即時に乗り合いをマッチングする「リフト（Lyft）」を開始し、会社名もリフトとなります。

ウーバーもリフトも、エアビーアンドビーと同様に、地図情報・相互評価・料金決済・配車システムなどが技術的に重要な要素です。

私自身、2012年頃、最初に「黒塗りハイヤー・オンリー」時代のウーバーを試したとき、地図上に虫がごそごそ動くように「どこに車がいるか」がリアルタイムに見える、というインターフェースに驚きました。さらに車を降りるときに、いちいち財布を出して支払う手間がないという、「ちょっとしたことなのに、とても価値の高い便利さ」を経験して、「これは新しい」という、何かが始まった衝撃を受けたことを覚えています。

私は昔から忘れ物失くし物が激しく多く、「バッグから財布を出す」という動作は、財布そのものやバッグの中の別のものをうっかり落としそうで、とても緊張する場面です。それがないというだけでも、実にありがたいサービスだと思いました。経路がリアルタイムで地図上に表示され、領収書はこの経路地図を添付したものがメールで送られるのであとで経費精算が楽、運転手とユーザーがお互いに評価をつける「相互評価」のシステムも、タクシーよりむしろ安心です。「サージ料金」といって、金曜の夜などの需要が大きい時間帯には料金が高くなるという変動料金制にも感心しました。

２００９年には、私が愛用しているもう一つのケチケチ系ベンチャー、「レント・ザ・ランウェイ（Rent the Runway）」が創業しました。こちらは、ドレスや衣服のレンタル・サービスです。

「ケチケチ生活」という意味では、このほか古着や本の中古品マーケットなどもこの時期に立ち上がりました。このうち長期的に成功したのは、「位置・地図情報」「写真」「相互評価」「コミュニケーション」「料金決済」などの要素を持ち、スマホを中心として使うという技術的要素をうまく活かしたものばかりです。その前のフェーズで、ソーシャルやネット動画などのクラウドサービスが普及しましたが、いずれも「パソコンとスマホの中で完結する」ものばかりでした。これに対し、この時期には「宿」や「自動車」や「服」というリアルなものに、スマホ的な技術要素をうまく組み合わせたサービスが誕生したのです。その多くが、ユーザーインターフェース（ＵＩ）とバックエンド（裏方）部分に大幅に「第５・５世代」型の仕組みを組み込んだものです。

2012年のギグエコノミーとモノのサービス化

「シェアリング・エコノミー」のケチケチ生活スタートアップたちは、一部の生き残り組を除いてその後事業としてうまく成立せず、短期間で消滅するものが相次ぎました。

次の変化点は2012年頃のことでした。シェアリング系サービスの生き残りが、前述のような技術の核をベースに「オンデマンド」と言い換えられ、新しいタイプの「オンデマンド」サービスが多数登場しました。同時に、こうしたサービスを提供する側の仕組みとして「ギグエコノミー」も広がりました。

まず前に述べたように、リフトが2012年夏に本格的にオンデマンド・ライドシェア・サービスを開始。ほぼ同時期、対抗してウーバーも「ウーバーX」という、一般人が自分の車でお客を乗せるタイプの安価なライドシェア・サービスを投入しました。いずれも、ユーザーにとってのベネフィット（利便性）として、「シェア」というケチケチ部分よりも「スマホでリクエストすると即時に配車される」という「オンデマンド」が主眼となりました。

また、ウーバーの「運転手」のように、人が提供するサービスを「オンデマンド」で届けるために、「提供側の人」のほうもオンデマンドで調達することになります。従来のやり方では、いつでもサービスを提供するためには、ピーク時の需要に見合っただけの従業員を雇っておく必要があり、コストが高くなってしまいます。これに対し、ウーバーのようなサービスでは、働く人は登録だけしておき、不定期・単発で呼び出され、サービスを提供するときだけ料金が発生する「フリーランス」「ギグワーク」と呼ばれる働き方となります。ジャズの単発セッションを「ギグ」と呼んでいたのが語源です。「アルバイト」よりもさらに流動的な、不定期・単発の働き方をギグワークと呼ぶようになったのです。

こうした新しい働き方が特に注目され、それに地図情報などの技術要素を取り込んだサービスがたくさん生まれました。2012年にはスーパーでのお買い物代行「インスタカート(Instacart)」、ミールキット配達「ブルーエプロン(Blue Apron)」、13年にはテークアウト食事の配達「ドアダッシュ(DoorDash)」などが創業。これらのような「デリバリー系」ベンチャーが「××のウーバー」と称して、全米各地で雨後の筍のように出現し、また掃除、洗濯、犬の散歩など、人手によるサービスをネットで外注する雑多な「オンデマンド」ベンチャーも多数出現しました。いずれも、従来は不可能だった複雑な仕事の割り振りを、ソフトウェアの力で即時にできるようにしたものです。「ペット・ドット・コム」などがわらわらと出てきた、ドットコム・バブルの頃を彷彿とさせます。

もう一つの動きとして、安価な業務用クラウドサービスもこの頃から人気が急上昇しました。この分野では、老舗のセールスフォース・ドットコムが1999年から営業していますすが、ある程度の規模の企業が対象であり、サービス料金が高くて、私のような個人商店やフリーランスにはちょっと手を出しづらい水準でした。これに対し、新しい業務用クラウドの特徴は、「フリーミアム、すなわち無料で使い始め、利用量が多くなったり高い機能が必要になったりしたら月額料金を払う」というものです。有料といっても、月額数十ドル（数千円）からのものが普通で、私でも払えるレベルです。

少し前の２００８年に創業したオンライン・ファイル共有の「ドロップボックス（Dropbox）」、11年のビデオ会議「ズーム（Zoom Video Communications）」、13年の業務用グループチャット「スラック（Slack Technologies）」などがこの代表例です。

どれも、以前から既存大手が類似サービスを提供していますが、新しいものは圧倒的にユーザーインターフェースがよくて使いやすく、「ビデオが切れない」「サーチがしやすい」などの基本的な性能がしっかりしています。大手が自社の他のサービスとの統合を一生懸命推進するのと対極的に、主力のサービスに集中しているのがこれらの特長です。また、いずれもなんらかの形で「他の人とコミュニケーションするためのツール」であるため、一人のユーザーが使い始めると連絡する相手にもこれを使ってもらうことになり、そこでサービスの品質を自然にデモすることになって、広がっていきやすい傾向もあります。

例えば、私は２０１６年頃に、ベンチャー企業の人とのビデオ会議で、相手にズームを指定されて初めて使いましたが、その使いやすさ、画質の良さ、「切れない」品質などを一目で気に入り、すぐに自分でもアカウントを作りました。このほか、会計システムや経費精算などの業務もできるだけクラウド化しました。改めて自分の事業経費を眺めてみると、ほとんどが毎月のサービス料金ばかりで、およそ「モノの購入」がないことに自分でも驚きます。

これら、消費者向けの「オンデマンド・サービス」と、業務向けの「クラウドサービス」は、別の言い方をすると「モノのサービス化」ともいえます。業務に必要なのはパソコンとスマホだけになり、文房具もフロッピーディスクもビデオ会議システムも不要。オフィスにも、ファイル・キャビネットや本棚はいらなくなったので、コワーキングスペースで十分。そこに通勤するには、自家用車を持つ必要はなく、ウーバーで行けばよい。そんな時代になりました。事務用品・文房具の店がつぶれるのも無理ありません。

そして、2012年にはフェイスブックが株式上場。この頃からまた、ベンチャー資金市場は本格的な百花繚乱の時代に突入します。

AIのブレークスルー「深層学習革命」

2012年にはさらに、その後のテック業界の方向を決める、技術的ブレークスルーがありました。

ＡＩ（人工知能、Artificial Intelligence）という用語の定義は曖昧で広く、具体的にどの技術を指すのかは時代とともに移り変わっています。この言葉が出てきた１９５０年代には、いまのコンピューターそのものがＡＩであったともいえ、現在では普通のサービスとなったもの、例えばスペルチェッカーや音声サーチも、出てきた当初はＡＩと見なされていました。

広義のＡＩ技術の一部として、「機械学習（Machine Learning）」と呼ばれる手法があります。一つひとつの処理ルールを手動で入力する代わりに、たくさんのデータを投入してコンピューターに自動的に学習させるという技術です。文字や数字になったデータであれば、コンピューターで処理するのは比較的簡単なので、これによりコンピューターはかなり多くのことができるようになりました。

さらにその一部として、「深層学習（Deep Learning）」があります。人間の神経のはたらきを模したニューラル・ネットワークを複数の層に重ねて使うもので、おもに画像認識、音声認識、自然言語解析など、文字や数字になっていない、不定形な入力データの意味を理解するような分野によく使われています。

２０１２年は、この深層学習を使った画像解析で、多数の研究者の論文が同時多発的に数多く出され、ブレークスルーの年となりました。

この背景には、「写真データ」の蓄積があります。2006年頃から「この写真は何の写真か」というタグをつけた膨大な写真を研究者が集めてオープン化し、解析技術を競うコンテストが何度か開催されていました。これを使って研究が進み、2010年から12年頃にかけて、それが開花したというわけです。

また、こうした目的にGPU（Graphics Processing Unit）という、本来はゲームのグラフィックのために作られた高速チップを使うようになったことも、技術的な背景となりました。

これが一般人の目にもわかる実際のモノとなって出現し、AIが流行語となり始めたのが2014年頃のことです。1950年代からのAIの歴史上、過去2回「AIの冬」と呼ばれる時期がありましたが、2度目の冬が終わり、3回目の「AIブーム」がやってきたというわけです。2014～15年頃には、「AIが人間の知能を追い越して暴走を始める、シンギュラリティと呼ばれる通過点がまもなくやってくる」という意見を複数の有名人が発言して大騒ぎになったのも、いまやなつかしい感があります。

2014年にアマゾンがスマートスピーカー「エコー」を発売しました。ハードウェアとしてはスピーカーの形をしていますが、その本体は「アレクサ」というボイスアシスタントです。音声を解析して質問の意味を理解し、サーチして答えを返したり、音楽を流したり、商品を注文したりする、「音声認識」と「自然言語解析」の技術の塊です。

もう一つのＡＩの大きな成果が、「自動運転」です。自動車に搭載したカメラで、周囲を認識して正しい対応をするという一連の動作のためには、「画像認識」の技術が不可欠です。このため、深層学習の技術ブレークスルーにより、自動運転の実現に大きく一歩進んだことになります。

「機械は人間よりも安い」と思われがちですが、実はＡＩはまだまだ高コストです。金型や製造機械のようなもので、それ自体は高価だがものすごくたくさんのプロダクトをそれで作って販売することができれば、そのときに初めて効果を発揮します。このため、グーグルやフェイスブックのような巨大サービスの「裏方（バックエンド）」としてならすでに大いに使われていますが、「リアルなモノ」への応用では、まだまだ手探りの段階です。

リアルでは、大量生産したモノであっても、グーグルの検索回数と比べれば桁がいくつも違いますので、プロダクトもそれなりの高い値段で売れなければなかなか成立しません。このため、応用先として単価の高い自動車や「医療」が、突破口として期待を集めました。

２０１４～15年、いろいろなブームが到来

クラウドの「出入り口」、つまりデータ入力・出力のインターフェースとしては、現在でもスマートフォンが主力ですが、この「次」となるものを皆がずっと模索してきました。過

去にもテレビやロボットなどがいろいろ試されましたが、いままでのところ消費者向けには、十分に価格が安く十分にわかりやすい価値を提供するのは、アマゾン・エコーのようなスマートスピーカー、すなわち音声によるインターフェースが最も成功していると私は考えています。

２０１４年には、スマートスピーカーのほかにも、種々の「家電」が直接クラウドと無線でつながり、送信したデータをクラウドで解析し、その結果をまた無線で返して自動的に家電を操作する、という方式が注目されました。世にいう「ＩｏＴ（モノのインターネット：Internet of Things)」です。

自動サーモスタットのベンチャー、ネスト・ラボ（NEST Labs）が２０１４年1月にグーグルに買収されたことで、このブームに火が付きました。ネスト・ラボの製品は、ユーザーが自分で温度をタイマーなどで設定しなくても、家に人がいるかどうかなどの環境をセンサーで感知して、自動的に温度を調節します。同じようなやり方で、監視カメラ、ドアベル、家の鍵、照明などを、スマホから遠隔操作したり、データを集めて自動的に作動させたりすることができるというベンチャーがたくさん出現しました。

また、前年の２０１３年には同じくグーグルが、犬型ロボットで知られるボストン・ダイナミクスなど、複数のロボットのベンチャーを立て続けに買収し、ロボット分野も勢いづきました。

この前のフェーズから続いていた「オンデマンド」の人気も継続していました。2015年には、アマゾンもこれに参入。掃除、窓ふき、家の修繕や改装、楽器の個人教師から、「ヤギをレンタルして雑草を食べさせる、エコな除草サービス」まで、あらゆる個人のサービスをアマゾンのウェブサイト上で販売する「アマゾン・ホーム・サービス」を始めました。

そして、「究極のIoT」としての「自動車」が、徐々に話題の中心となっていきます。

この時期、確かに「深層学習のブレークスルー」という技術的な革新はあり、グーグルなどでは威力を発揮していますが、ベンチャー規模ほどの顧客しかない場合はまだまだ高価な技術で、使い方も限られており、「リアル」なプロダクトのコストにそこまで破壊的な影響を与えるほどには至っていなかった、と私は考えています。

にもかかわらず、このように次々といろいろな技術が材料となって盛り上がったのは、「おカネ」のほうの事情がおもにドライブしていたから、ではないかと思います。

アメリカの金利は、2011年秋頃に底を打ち、その後しばらく低金利が続きました。VCの資金源である機関投資家は、債券市場では儲からなくなったので、他に投資先を探し、高リスクだが高リターンの望めるVCにお金を振り向けるようになりました。機関投資家の大きな部分を占める年金基金では、「ベビーブーム世代」が引退する時期を目前にして、運用成績を高く維持しなければなりません。いわば「カネ余り現象」だったと考えられます。

この時期は、特に「投資件数」の増加が顕著であり、ステージ別の投資動向を見ると、この2年間は特に、「アーリーステージ」、つまりまだ創業間もない小さなベンチャー企業への小粒の資金調達件数が極端に増えています。ワイコンビネーターなど、初期の小さなベンチャーに投資するアクセレレーターや、個人のエンジェル投資家の動きも活発になりました。

こうして、多くの分野の新しいベンチャーに資金が流入したため、2014〜15年は「ベンチャー百花繚乱」の時期となりました。

その一方で、GAFAによる支配が深く静かに進行する時期でもありました。ここまで見たように、実は消費者向け分野の新規のベンチャーはどれもまだ小さく、GAFAに対抗する決定版というほどのものはまだ見えません。また、企業向けのクラウドサービスも引き続き活発に動いていますが、こちらもGAFAを破壊するほどのものはこの時期あまり見られません。

2015年には機械学習のオープンソース・ソフトウェア、テンソルフロー（TensorFlow）がリリースされ、その後機械学習の中心的な存在となっていきますが、これはいわばグーグルのお抱えオープンソースです。

百花繚乱の新興ベンチャーは、いずれもなんらかの形でクラウドを使います。そのときに、クラウド側のインフラとして、テンソルフローのサポートを加えたグーグルのGoogle Cloudが一生懸命、王者アマゾンのAWSを追いかけています。

企業システムのクラウド化も進んでおり、この分野ではマイクロソフトやセールスフォースなどが存在感を増しています。

シリコンバレーではそれまでいつも「仮想敵」の存在で、何かと厳しい評価をされがちだったマイクロソフトですが、2014年にサティア・ナデラがCEOとなって「クラウド戦略」へと大きく舵を切った後、劇的に変化し、いまや大いにリスペクトされるようになりました。

セールスフォースも、クラウドサービスの原点ともいえる老舗企業ですが、自社のプラットフォームの上に種々のアプリケーションを載せる「エコシステム」を形成して着々と企業ユーザーに浸透しています。さらに、サンフランシスコの地元住民のためのインフラ整備や資金提供、社内のダイバーシティ促進などでも好感度が上昇しています。ここ数年、ベンチャーキャピタルやテック企業でのセクハラ、所得格差拡大、データのプライバシー問題などでシリコンバレー大手に対する社会の目が厳しくなっている中で、セールスフォースは相対的に企業イメージの向上に成功しています。

GAFAなどの大企業はよいのですが、ベンチャーについては、資金流入の勢いとベンチャーのプロダクトの実態の間の乖離が気になっていました。ベンチャーの規模が小さく足元が不安定なのはいつも同じですが、「なんで、こんなチャチなプロダクトの会社に、×億ドルという規模のおカネが集まるのか？」と不思議に思うことが多く、「ドットコム・バブル」の頃を思い出していました。

２０１７年のソフトバンク・ビジョン・ファンド登場

その後、また短期間で変動が訪れます。２０１５年に入って徐々に金利が上がり始め、私と同じ感想をもつ人も増え、ベンチャー資金市場には不安が広がり始めます。

そんな中で、ウーバー運転手の待遇不満が表面化して各地でデモや訴訟が発生しました。また「オンデマンド」ベンチャーの一つとして知名度の高かった掃除サービスのホームジョイ（Homejoy）が２０１５年夏に破綻しました。オンデマンド系サービスはもともと収益性が疑問視されていた分野でもあり、一部の勝ち残り組を除いて淘汰が始まりました。

２０１６年は前年と比べ、ベンチャー投資は件数も金額も減少してペースが鈍りました。17年に入っても、オンデマンドやＩｏＴのベンチャーが、倒産したり大手企業に安値で買収されたりする淘汰が続きました。

しかし、投資額推移のグラフを見ると、２０１７年は前年よりも投資額が増えています。

資金の出し手と受け手が、伝統的なＶＣによる「ベンチャー投資」とは違うものになったためです。

この変化の最も象徴的な存在が、ソフトバンクグループとその傘下の投資ファンドである「ソフトバンク・ビジョン・ファンド」です。このファンドが立ち上がったのは２０１７年5月でした。サウジアラビアの政府系ファンドからの巨額の資金提供を受け、このほかアップルやクアルコムなどからも資金を集め、資金量１０００億ドル規模の巨大ファンドとなりました。なお、ソフトバンク・ビジョン・ファンド創設以前からソフトバンクグループは自社資金だけのＣＶＣを持っており、こちらからも大型投資が行われています。

２０１７年には、ソフトバンク・ビジョン・ファンドがウーバーに１００億ドル、ソフトバンクグループとソフトバンク・ビジョン・ファンドがウィーワークに44億ドルを投資するなど、従来の典型的なＶＣ投資よりも1桁～2桁大きい額の投資活動が始動し、ＶＣ業界に衝撃を与えました。

例えばウーバーの場合、この時点ですでに世界でサービスを展開し、知名度も高く、ベンチャーの企業評価額で世界最大の地位を長く保っている、いわば「勝ち組」の地位を確立した企業でした。

このように、ソフトバンク・ビジョン・ファンドの投資対象は、未上場のいわゆる「ベンチャー」ですが、とはいってもアーリーステージ企業にちまちまと、生活費レベルのお金を入れるということはあまりしません。多くは、レイトステージに至った企業に、まとまった設備投資や開発の先行投資、世界展開のための営業活動など向けに、規模の大きい投資をします。目的は、そういう企業に、営業範囲や事業規模を急拡大して競合を引き離して「独り勝ち」体制に持っていき、利益を出せるようにして上場することです。伝統的VCの「当たりはずれが大きいベンチャー投資」とは際立った違いがあります。

ただしソフトバンク・ビジョン・ファンドでも、内部で作業を担当しているベンチャーキャピタリストによって違いがあるせいか、悪目立ちした大型事例でなく、例えば業務向けサービスやバイオなどでは、一般的にも評価の高いベンチャーに通常規模の投資をする、通常のVCと同じような動きをしている部分もあります。

この頃、投資家だけでなく、突然巨額のカネを手にしたベンチャー創業者がやりたい放題になり墓穴を掘る事例が出てきます。顕著な例が、ここでもウーバーでした。折からの「#MeToo」として知られるセクハラ告発運動の流れで、いくつかのシリコンバレー企業が問題となりましたが、その一つとして、ウーバーの創業者CEOトラビス・カラニックに対し、社員からセクハラの訴えが出たのです。結局、2017年にカラニックはCEOを退任しました。

この頃には、2016年の大統領選にからんで、フェイスブックの個人情報漏洩も問題になり、「テック業界」全体に対して「ユーザーよりも金儲け優先、やりたい放題」だとして世論の批判が高まります。しかし、資金の大型化の流れもテック業界のバブル風潮も、止まることなくまだまだ続きます。

メガディールとユニコーンの跋扈

ソフトバンク・ビジョン・ファンドだけでなく、これまでベンチャーへの投資をあまりしてこなかった各種のPEも、レイトステージ・ベンチャーに投資することが多くなりました。また、大手自動車会社が、シリコンバレーの自動運転や画像解析技術などのベンチャーに投資したり買収したりする事例が相次ぎました。このほか、医療・医薬、化学、機械、小売り、タバコなど、各種のシリコンバレー以外のアメリカの大企業や、欧州・日本などの大企業が、続々とシリコンバレーに支社やCVCを開設し、ベンチャーへの投資を増やしています。これらの大企業による投資ディールは、VCが分散投資するスタイルと異なり、自社の戦略に適合するものに投資するので、場合によっては一社に大きな額をどんどん入れることもあります。

このような資金の出し手の変化により、2017年には「一件あたりの金額が増大」という状況となり、その傾向は18年にさらに強まりました。

ドットコム・バブルの時代は、設備投資や世界展開のためのまとまった資金は「上場」して入手するのが普通でした。しかし、ワールドコム事件をきっかけに、その後情報公開の義務が厳しくなったため、一般的にベンチャーはなるべく上場を後に延ばす傾向にあります。これに加え、PEの参入によって、上場するのとあまり変わらない規模の資金が入手できる別の方法ができたので、従来と比べはるかに大きくなるまで上場しないという傾向が強まりました。

一方、技術の動向という面で見ると、「IT・ソフトウェア技術が、パソコンとスマホの中だけでなく、リアルな世界に広がる」動きがさらに強まっている、ともいえます。自動車、医療、機械などの産業では、新製品やサービス開発のためには、パソコン・スマホ内で閉じるものよりもはるかに大きな先行投資が必要です。ソフトウェアが世界を食べるのも、楽ではないのです。そのための資金を、投資単位の小さいVCでなく、単位の大きいソフトバンク・ビジョン・ファンドなどから獲得することができるようになった、という見方もできます。

これに対抗するため、他のファンドも大きな額を出して競争するようになり、レイトステージだけでなく、アーリーステージのベンチャーまでも、それに引っ張られて調達資金額が大型化しました。

こうした資金背景の中、「ユニコーン（一角獣）」がベンチャー界隈を跋扈《ばっこ》するようになりました。ユニコーンとは、企業評価額が10億ドル（約1000億円）を超える大物ベンチャーのことです。上場していないベンチャー企業の場合でも、新規の投資を受ける場合に会社全体をいくらと評価するかを決め、それに従って投資家が投資する金額で会社の株式の何パーセントを得るかを決めます。この金額が公表されない場合もありますが、大きなベンチャーの場合には公表または推測が出ます。

本来は、「実在しない空想上の動物」としてユニコーンというあだ名がついたのですが、この時期には「そのへんにたくさんいる」状態となりました。2015年1月に82社だった世界のユニコーンは、20年4月現在で400社にまで増えています。上場や買収でエグジットすれば「卒業」ですが、どんどん新しいベンチャーが入ってきます。日本でも、フリーマーケット（フリマ）・アプリのメルカリが2017年にユニコーンに仲間入りし、18年に上場して卒業しました。

ちなみに、2020年4月現在で世界最大のユニコーンは、モバイル動画アプリTikTokを提供する、中国のバイトダンス（ByteDance）社で、評価額780億ドルと推測されています。

2019年の上場ラッシュの明暗

そのユニコーンの世界ランキングで、長いことトップを占めていたのがウーバーです。セクハラ事件のゴタゴタをなんとか乗り越え、新しいCEOのもとで、2019年卒業組の一番星として上場が期待され、フェイスブックの上場金額を上回るのではないかと見込まれていました。

ウーバーに先立ち、3月にはライバルのリフトが上場しました。こちらも期待が高かったのですが、いまだに黒字化できておらず財政的にはまだまだ不安定なこともあり、1株72ドルで上場後、ずるずると株価は低迷しました。

そして、5月にいよいよウーバーが上場しました。リフトの不調に引っ張られ、事前の噂よりもかなり低い1株45ドルで上場しました。金額的には、上場による資金調達額は81億ドル、企業評価額は820億ドルということになり、フェイスブック上場時の調達額160億ドル、評価額1040億ドルよりもだいぶ低くなってしまいました。それでも、調達額としては2019年で最大のIPOでした。

ただ、新規上場（IPO）の評価は、その時点での調達額だけでは決まりません。その後株価が上がるかどうかがむしろ重要です。上場するときの株価が高ければ、それまでに投資してきた投資家、つまりそれまでにもっと安い株価で株を買ったＶＣやＰＥなどが儲かりますが、こうした投資家はごく少数の限られた人たちです。上場時に、既存投資家が得するように無理な高い値段をつけてしまい、より広い範囲の一般投資家が買えるようになったとたんに株価が下がると、「一般投資家に損を押し付けて特権的な既存投資家が売り抜けた」という評価になってしまいます。

ウーバーの場合もリフトと同様に、この先長いこと利益が出そうにない事業体質であることが基本としてあります。ベンチャー投資の評価では、利益よりも将来性が重視される傾向がありますが、公開市場ではそうはいきません。

２０２０年6月現在まで、ウーバーの株価は一度も上場価格45ドルに戻っていません。リフトも同様です。

主要なテクノロジー企業の上場としては、この2社のほか、以下のような企業がありました。いずれも、２０１９年の4月から9月までの間に上場しています。矢印は、20年6月時点で上場時と比べ株価が上がっているか下がっているかを示しています。

↑ペロトン（Peloton Interactive）：固定自転車エクササイズ機器、計測結果をネットにつなげるＩｏＴ方式

↓ピンタレスト（Pinterest）：写真共有サイト
↓スラック（Slack Technologies）：業務用メッセージ・情報共有サービス
↑ズーム（Zoom Video Communications）：ビデオ会議サービス

その後の新型コロナウイルス禍による株式市場乱高下の影響もありますが、上がっているか下がっているかのおおまかな傾向はその前から見えている傾向とそれほど大きく違いません。

ドットコム・バブルの初期のように、上場が成功してますます株式市場が盛り上がる、という状況にはならず、企業により明暗が分かれました。まぁ、これが本来の姿ではあるのですが、このようなまだらな状態で、２０１９年の夏に突入しました。

ウィーワーク事件の衝撃

そして、２０１９年後半テック業界を震撼させた、ウィーワーク株式上場（ＩＰＯ）中止の事件が起こります。

ウィーワークはニューヨークを本拠とするベンチャーですので、正確にいえばシリコンバレーではありません。しかし、このウィーワークに関して噴出したいろいろな問題点は、現在のシリコンバレーの「影」の部分のカタログといえるほど、問題を端的に表しています。

ウィーワークは、「コワーキングスペース」という種類の共同オフィスを運営する、一時は企業評価額が470億ドルに達した「世界最大のベンチャー」の一つでした。

私が自分でコワーキングスペースとそれに類似する「サービスオフィス」という形態のものを両方使ってみた感想としては、巷で言われるほど、ウィーワークが「価値のない事業」であったとは思えません。それなりに、意義のある新しい事業形態であると思っています。

サービスオフィス、またはエグゼクティブオフィスと呼ばれるタイプの共同オフィスは以前から多くあり、「一人から数人程度の小さいオフィスに部屋が分かれている」「机と椅子はすでに用意されており、自前でオフィス家具を用意する必要がない」「会議室やキッチンなどは共有」「入り口に共通の受付担当者がいる」などの点ではコワーキングスペースと同じ特徴を持っています。

ウィーワークの始めたコワーキングスペースがサービスオフィスと異なる最大の点は、「紙」を収容するファイルキャビネットがない、ということです。このため、一人当たりのスペースがとても小さくて済み、同じ面積により多くの人を詰め込むことができるのです。

パソコン一つでどこででも仕事ができる人たちがお客さんなので、固定の机さえなく、必要なときに共有スペースを使える会員制契約でもよい人が多くいます。この場合、全員が一斉に使うことはあまりないので、オフィス内にある椅子の数よりも多くの契約を詰め込むことができ、さらに「高密度戦略」が可能です。

このため、コワーキングスペースではサービスオフィスよりも共有部分がはるかに大きいのが特徴です。また、サービスオフィスには必須であった、机の上の固定電話も、コワーキングスペースにはありません。サービスオフィスでは、電話受け付けや郵便受け取り、訪問者の受け付けなどをサービスオフィス側が提供し、入居者はこれらを自分たちでやらなくても、いかにもきちんとした会社の体裁を作れるのが一つの大きなメリットでした。しかし、最近の起業家やギグワーカーは、電話受け付けも郵便受け取りも必要ありません。

本格的にペーパーレス社会が到来し、クラウドと携帯電話がインフラとなり、ギグワーカーが増えた時代に合わせ、不要となったものをそぎ落とし、より安価にフレキシブルにオフィス機能を提供する、というのが、ウィーワークが示したコワーキングスペースの価値でした。私自身は、住んでいる場所の近くにウィーワークがないので、別のコワーキングスペースを使っていましたが、まさに私のような個人事業者には、ときどき会議室や共有スペースを安く使える、便利なサービスです。それ以前に従来型のサービスオフィスも検討しましたが、料金が高すぎて手が出ませんでした。

ウィーワークは2010年創業ですが、その前身は前述のように08年創業です。リーマンショック後にレイオフされた人たちが、自営でほそぼそと仕事を始めるのを助けようという、社会的意義のあるものでした。不況で借り手のなくなった古いビルや倉庫などを安く借り、レンガがむき出しの壁を自分たちでパワーウォッシュするだけで済ませ、改装費用を節約した、当時流行りの「ケチケチ」商売の一つでした。

そのままコツコツとやっていけばよかったのですが、途中から急にVCや機関投資家のお金が集まるようになり、「むき出しレンガのカッコイイ共有スペースに、イケてるベンチャーが集まるカッコイイ商売」になってしまいました。2014年頃から、急激に数億ドル単位のお金が集まり、17年にはソフトバンクグループとソフトバンク・ビジョン・ファンドが投資家に加わり、資金調達額が一気に1桁上がり、「ユニコーン」の代表例としてもてはやされるようになりました。

そして2019年8月、いよいよ株式を上場しようということで、そのためのS－1という形式の情報開示書類を当局に提出し、それが公開されました。しかしそれにより、同社が巨額の赤字を出し続けており今後も利益を出す見通しが薄いことと、企業の構成が複雑で、創業者アダム・ニューマンの個人的な利益を誘導する仕組みがあまりに多すぎるというガバナンスの問題とが投資家の反発を招き、その後ニューマン個人の奇行やパワハラ的な企業文化などの報道も噴出し、1ヵ月半で急転直下、ニューマンのCEO辞任、上場中止、リストラという事態に追い込まれました。

私は、もしウィーワークの調達資金がもう1桁ぐらい小さい、平常の規模で収まっていれば、こんなことにはならなかったのではないかと思っています。初期の「ギグワーカーのためのチープシックなオフィス」の精神を守り、コツコツと身の丈にあった成長をしていればよかったのに、巨額投資と引き換えにあまりに急速な成長を強いられ、無理と矛盾が起こってしまったのではないか、と思えるのです。あまりたくさん水をやりすぎると根腐れして枯れてしまう植物のように、ベンチャーにも「適切な資金規模」があると思うのです。

その後2019年の後半では、大型のテックIPOはなくなり、ベンチャーの資金調達としても、メガディールはそこそこ続きましたが、意外なものに常軌を逸した巨額が投じられるということはなくなりました。大型の投資先は、自動車関係、業務ソフトウェア、バイオ・医療などといった、「通常」の優良と見られるベンチャーが主流という、「平常運転」ペースへと落ち着いていきました。

年の前半がバブルであったため、2019年全体の統計としては「メガディール」が続いているような数値となりますが、実態としては、メガディール期はウィーワーク事件を節目として、「卒業」の年は明暗まだらなまま、終わりを告げたのです。

第3部　これからのお話

第7章 「次は何が来ますかね?」

予測はできるのか?

さて、話が現在にたどり着いたので、いよいよ「これから」を考えてみたいと思います。

2019年、メガディール期は終わりの兆候は見えつつも、決定的な「バブル崩壊」は起こらず推移していましたが、2020年前半、新型コロナ禍という思いがけない形で大きな危機がやってきました。

しかし、そのコロナ禍の影響やその後の予測については、公衆衛生的にも経済的にも、わからないことが多すぎます。そして、情報技術に関しては大きなプラスもマイナスもなく中立的だと思うので、この件を除外して、大きな技術の流れを考えていきます。

シリコンバレーを訪問する日本企業の方から、よく「次は何が来ますかね?」という質問をされます。意地悪くいえば、シリコンバレー在住日本人の間でささやかれる「日本企業あるある」の一つです。しかし実はこれは日本企業に限らない話です。シリコンバレーは「Next Big Thing（ここではＮＢＴと略します）」を鵜の目鷹の目で探し、そこにいち早く投資したい人たちが世界中から集まってくる場所ですので、仕方ないのです。

15年前のことをいまから振り返ると、当時の答えは「スマホ」と「ソーシャル」だったわけですが、15年前の時点でそれがＮＢＴであると断言できた人はあまり多くないと思います。私も、当時ブログで「iPhone なんてダメに違いない」などと書きまくり、のちに「すいません、間違えました」と謝る記事を書いたものです。

１９９０年代の終わり頃、パーム・パイロット（後にパームと改称）というＰＤＡ（パーソナル・デジタル・アシスタント、電子手帳）が大流行し、この流れを受けてＰＤＡに電話機能をつけた最初の「スマートフォン」であるハンドスプリング社の端末が登場しました。私はこれが出たときにエキサイトして2代ほど続けて購入しましたが、いろいろと不具合があり結局お蔵入りとなり、その後この製品も会社もなくなってしまいました。これと類似の問題が iPhone でも出るのではないかと思ってしまったのです。なまじ「携帯電話に詳しい者」としての過去の記憶と無用の自負があったために、これまでの世界とは違う iPhone のポテンシャルを見誤ってしまいました。「破壊的な新製品は、素人の新鮮な目で見てこそできるのだ」という考え方も一理あります。

それでは専門家の意見がまるで無用かというとそれも違います。例えば、詐欺スキャンダルで有名になったセラノス（Theranos）というベンチャーがありました。同社は「指先を針でつついてとった一滴の血液だけで、あらゆる検査ができる技術」を作ったと称して、莫大なベンチャー資金を集めました。専門家から見ると荒唐無稽な話であったにもかかわらず、「破壊的な技術は専門家から見るとダメに見えるもんだ」という風潮もあり、多くの人が創業者エリザベス・ホームズの「人たらし」にやられ、このベンチャーのポテンシャルを信じて投資しました。ある意味での「専門家」ともいえる、大手薬局チェーンのウォルグリーンズもパートナーとなり、店頭で同社の機器を使った検査サービスを始めました。ウォルグリーンズでも、技術担当者は大いに疑問を持っていたにもかかわらず、幹部は「いま自分たちが提携をやめたら、ライバルに取られてしまうかも」という恐怖で、やめられなかったといいます。

この種の恐怖を、シリコンバレーでは「FOMO（Fear Of Missing Out、バスに乗り遅れる恐怖）」と呼びます。結局は、ジャーナリストが事実を暴いて、同社は2018年にシャットダウン、創業者は詐欺で訴えられました。やはり、専門家の意見は聞いておくものです。この件の経緯は、“Bad Blood”という本に詳しく書かれています。

つまり、NBTの見極めは素人のほうがいいとか専門家のほうがいいとかの鉄板の法則があるわけではありません。誰にとっても、難しいのです。もちろん、私にもわかりません。しかし、それを踏まえた上で、とりあえずいまわかっていることから考えてみましょう。

ソフトウェアは世界を食べ続ける

一つ明らかなことは、「ソフトウェアが世界を食べる」傾向はまだまだ続く、というより、これからますますその勢いは強くなるだろう、ということです。なお、いわゆる「AI」もソフトウェアの一種ですので、それも含めた現象と考えてください。

これが続くであろうと私が考える根拠は、先に述べた「アルゴリズムという金型」で富が生み出される仕組みは今後も明らかに有効であり、ソフトウェアのアルゴリズムを使って効率化できる工程や楽しいサービスの可能性が世の中にはまだ膨大にあふれていて、市場の成長余地は巨大であるからです。そして、これを上回るような富を生み出す新しい仕組みは、いまのところまだシリコンバレーでは見えてきません。

例えば30年ぐらい先までを考えれば、通信や半導体や素材などで画期的な基礎技術が出現して、爆発的な変化がどこかで起こる可能性は十分あります。しかし、ここまでの記述で使ってきた、わかりやすい「10年」の単位で、商売になるプロダクトが多数出るのを支えるだけの新技術がもしあるならば、現時点ですでにそれが見えているはずです。

残念ながら、まだそれは見えていないので、この先10年ほどの間は、引き続きＡＩ（機械学習・深層学習）やデータ解析をふくめた「ソフトウェア」の金型による効率化が富の源泉となっていくと私は考えています。

問題は、こうして効率化した工程を使って、どうやって誰からお金をいただくか、そのいただくお金が十分コストをカバーして余りあるか、という点です。

２０００年代のネットビジネスの中心的なビジネスモデルは、「広告」と「物販」の二つでした。これにより、伝統的な広告ビジネスで儲けていた新聞・雑誌、テレビ・ラジオは大きな打撃を受けました。アメリカの新聞広告の売り上げは、２０００年のピーク時から5分の1（インフレ調整後）に減少。音楽や映像も、ＣＤとＤＶＤのパッケージ販売が壊滅し、アップルのiTunesなどのダウンロード販売も減少し、音楽はスポティファイ、映像はネットフリックスのような、デジタル・オンリーのストリーミング・サービスに移行しています（日本を除く）。

また、ｅコマースにやられた伝統的な小売業も、壊滅的打撃を受けました。倒産や大幅縮小を余儀なくされたアメリカの小売りチェーンは数え切れず、各地でショッピングモールが打ち捨てられゴーストタウン化しています。

これらの分野がグーグル／フェイスブック／アマゾンに支配されて、参入の余地がほとんどなくなって以降、ここ数年主流となっているのは「サブスクリプション」です。

典型的な例が、映像配信サービスのネットフリックスや、ドロップボックスなど種々の業務向けクラウドサービスの「定額サービス契約」です。ユーザー登録関係だけがあって、実際に使った分だけ料金を払うウーバーのような仕組みも、広義のサブスクリプションと呼ぶことができます。

広告でも物販でも、ソフトウェアで生み出された価値とお金のやりとりの間には、一つ別の層がはさまっています。広告であれば、広告スペースを広告主に販売する必要があり、広告表示をマネタイズするための、プロダクトづくりとは別の仕組みが1セット必要です。物販はモノを調達し在庫を管理し配達する、という物理的なモノの動きを伴います。これに対し、サブスクリプションの場合は、サービスに対しユーザーがクレジットカードなどを登録して直接料金を支払います。ソフトウェアをサービスの形にして販売するという一連の流れの中で、比較的効率のよいお金のいただき方であるといえます。

日本語で「サブスク」という略語ができ、日本でもこの料金体系が一般化してきました。日本の働き方改革を推進する風潮の中で、業務を効率化したり、リモートでもチーム作業を可能にしたりする業務用クラウドサービスは、比較的安価で導入が簡単であり、中小企業や自営業でも使えるので、もっと普及するでしょう。そのニーズは、コロナ禍による在宅勤務の広がりにより、さらに顕在化しています。

クラウド技術とサブスクリプション方式を用いた業務向けソフトウェアは、消費者向けサービスと比べて地味ですが、着実に進化し、儲かり続けている分野です。サービスを作る「脳」の部分ではＡＩの活用が進んでいます。

さらに、遺伝子解析など、バイオ・医療分野での技術開発が進んでいるのも、機械学習やデータ技術を研究インフラとして使っているおかげです。新素材開発など、他の膨大なシミュレーションが必要な分野でも同様です。ＡＩの「出口」プロダクトとして「自動運転」が思ったより時間がかかりそうとの落胆が広がる一方で、バイオ・医療は引き続き期待が高い分野です。企業や病院で、感染から従業員を守るための手段として、ロボットの活用も進みそうです。

また、「どうやって儲けるか」についてはまだまだ未知数なところが多いながら、暗号通貨と、そのベースとなっているブロックチェーン（分散型ネットワーク）技術も引き続き注目されています。これも、「ソフトウェア」の一種です。

モノはどこまでサービス化するか

２０００年頃の第５・０世代デジタル化開始の頃から現在までの間に、テレビやカメラやオーディオ製品などのあらゆる消費者向けエレクトロニクス製品がスマートフォンに機能が集中し、価値を吸い取られてしまいました。

ディケイド（decade：10年の区切り）という英語のちょうどいい日本語訳がないのでいつも苦労するのですが、なにしろ、前のディケイド、すなわち２０００年代でこれらの破壊（ディスラプション）が起こりました。

これに対し、次の２０１０年代で起こったのは、デジタルの中で完結する文章・画像・動画のようなコンテンツ以外のリアルなものに、デジタルとソフトウェアとネットの影響が及ぶ「モノのサービス化」です。別の視点から見ると、「スマートフォン」でなんでもできるように集中した前ディケイドに対し、デジタルで作られるサービスのユーザーインターフェース（ＵＩ）がまた別の「モノ」に分散し始めたということにもなります。

その最も典型的な事例が、ウーバーなどのライドシェア・サービスです。自動車そのものはモノですが、人が自動車を保有するのは、基本的には移動や運搬を目的としています。これに対し、自動車を保有しなくても、サービスの形で移動や運搬ができるようになるというのが、「モノのサービス化」です。自分の車を使わずにウーバーを使う理由は、ガソリン代や駐車場代を払うより安いとか、時間の節約になるとか、安心して出先で酒を飲めるとか、いろいろな理由がありますが、突き詰めれば「移動」というサービスの購入です。そもそも車を保有するためには、購入価格以上に、駐車場代や税金などコストがかかり、住宅事情の悪いサンフランシスコ市内などでは重い負担です。

私は、2016年から「レント・ザ・ランウェイ（Rent the Runway：RTR）」という、月額定額料金のファッション・レンタル・サービスを愛用しています。「ケチケチ」時代のベンチャーの一つです。その昔、DVDの郵便配送レンタルサービスだった頃のネットフリックスと似た方式で、「手元に4アイテム」という縛りで何度返しても借りてもよく、月額159ドルを支払う方式です。正直、決して安くはなく、もう少し安価な競合もあります。

しかし、メリットもたくさんあります。例えば、服・バッグ・アクセサリーがそろっているので、パーティのときにはドレスに合わせてバッグとアクセサリーを借りることができます。奇抜な服ばかりがカタログに並んでいるので、最初は恐る恐る、なるべく地味なものを借りていましたが、最近では「なるべく奇抜」「なるべく高価」な、自分では絶対買わないものを借りて、とっかえひっかえ試すこと自体が楽しみになりました。また、一度しか着ない派手なドレスも気軽に借りられるので、これまでの「着るものがないからイベントに行かない」から、「着ていく場所が欲しいからわざわざイベントをつくる」というように、ライフスタイルまで変わってしまいました。ドレスというモノを所有すること自体が価値と思う人もいますが、私の場合は、所有すると手入れも保管も面倒だし、一度やせいぜい数回着るために大枚をはたく罪悪感もあるので、「着る楽しみ」だけのためにお金を出すほうが、少々高価に見えても合理的なのです。

以前は、モノを使用することで得られる価値を、モノに固定化して販売していました。しかし、マーケティング業界で「ドリルを買う人が欲しいのはドリルそのものではなく穴である」という有名な格言があるように、実は**「サービス」の形で直接入手できるのであれば、そのほうが便利です。**従来は、大量生産できるモノに固定するほうが、安価で容易に価値を届けることができたのですが、第5・5世代の技術で、そのコスト構造が変わってきたのです。

デジタルでないサービスを直接届けるためには、そのために使うモノ（例えばレンタル用ドレス）の調達・保管、顧客への割り当て管理、サービス品質保証、それに関わる人手などの手間がかかり、その部分を極力デジタル化することで、サービスの向上とコストの低下を実現できればよいわけです。これらに近い伝統的サービス、例えばライドシェアならタクシー、レンタル・ファッションならウェディングドレス・レンタルなどといったサービスも存在しましたが、これらの敷居の高かった部分をデジタルで置き換えています。さらに、顧客の好みに関する情報を蓄積して優先表示することで、顧客の使い勝手も向上します。

ＲＴＲの場合、最初はパーティドレスをウェブ上で閲覧して個別に○日間レンタルするという、一般的なドレス・レンタルをウェブと郵送で行うだけのものでしたが、２０１６年に定額制を導入して対象を広げてから人気が出ました。データの種類が増え、それまでのレンタル履歴をもとに効果的にレコメンデーション（嗜好に合わせた提案）ができるようになりました。

最近では、マタニティウェアや、ベッドカバーなどのインテリア品目も加わりました。また、人並み外れた美しい容姿のモデルさんが着ている写真はまるで参考になりませんが、ユーザーが評価とともに自分の写真をアップすることができるため、自分が着るときのイメージが湧きやすくなっています。これも、地味ながら「敷居を低くする」役割を果たしています。

ただ、前提条件である「モノの調達・保管云々」という部分は、決して軽いものではありません。だからこそ、これまで実現できなかったわけです。

ライドシェアでは、運転手の労働問題や、タクシー業界との規制をめぐる抗争に加え、料金もじりじりと上がっていました。そこへコロナ禍で人が外出せず誰もウーバーを使わない状態が発生し、また経済再開後も、不特定多数の人を乗せる事業形態が衛生的に問題となりそうで、今後どうなるかわかりません。

ＲＴＲは、２０１９年３月に企業評価額10億ドル以上の「ユニコーン」に仲間入りし、順調に追加資金を調達していました。本拠地ニューヨークや、わがサンフランシスコなどの主要都市では、その場で試着・貸出・返却ができるショールームを展開しています。しかし、財務状況は公表されていないため、利益が出ているかどうかは不明で、ベンチャーの常として、おそらく赤字であると思われます。ユーザーが増えると人気のあるアイテムに注文が集中し、欲しいモノほどいつも「在庫なし」となり、「これだけお金出してる価値ないなぁ……」と思うこともありました。郵送料やクリーニング、アイテムを調達・管理するなどで果たして量産効果が出るかも疑問です。そしてこちらも、コロナ禍でイベントも出勤もなくなる中で、ユーザーをつなぎとめられるのか、先行きは不安です。

ベンチャーでは、上場するまでの間、お客を増やすためにひたすら安値で頑張り、赤字をＶＣが補填し続けることが普通です。私のように、こうしたＶＣの資金補塡の恩恵で、ウーバーやＲＴＲなどのサービスを不当に安い料金で使いまくる生活を、長続きしない「VC subsidized life（ＶＣ補助金漬けライフ）」などと揶揄《やゆ》する向きもあります。

D2Cとサブスクの試練

「サービスのサブスク」の隣接分野ともいえる、「D2C（Direct to Consumer：消費者直販）」と呼ばれる分野もここしばらくの流行です。こちらは、「モノのサブスク」とも言い換えることができます。

これらは、商品を作っているブランド自身が、リアルの店やアマゾンなどの小売りサイトを通さず、消費者に直接ネット販売するというやり方です。「物販」の商売という意味では特に目新しくありませんが、強いブランドイメージがあり、ユーザーがそのブランドの「ファン」としてサポートするような関係を作り上げること、直販オンリーであるためにユーザーは必ずネット上でユーザー登録が必要である、という2点が、従来型のネット販売とのおもな違いです。

この事例としては、2020年に上場したマットレスのキャスパー（Casper）、19年にユニコーンに仲間入りした化粧品のグロッシアー（Glossier）、18年にユニコーンになっている自然素材スニーカーのオールバーズ（Allbirds）など、アパレル、眼鏡、インテリアなどといった、ライフスタイル製品を中心に多数あります。いずれも、ネットに親和性の高い若年層をターゲットとし、彼らの価値観と合った、「環境にやさしい」「自己肯定」などといったプロダクトのコンセプトを軸にしています。このあたりは、モノを作って販売する、従来からのブランド・メーカーと同じです。

しかし、2点目の「ユーザーをすべてネット上で把握している」という点が、従来型メーカーと異なり、「サービスのサブスク」企業と似ています。一般的なモノのメーカーが店頭で製品を販売する場合、どこの誰が何を買ったかは、メーカーは把握できません。アマゾンでモノを販売する場合、どこまでメーカーや卸売りに情報が開示されるかはっきりわかりませんが、完全に把握するのは難しいと思われます。これに対しD2Cの場合は、自社のウェブサイトでしか製品を販売しないので、ユーザーは購入の際には、名前、住所、メールアドレス、クレジットカード情報などを直接入力します。メーカー側は、ユーザーの購入履歴や居住地を完全に把握し、メールを送って直接のコミュニケーションをとることができます。

D2C企業の中では、例えば毎月定額の料金を払って、決まった数の「髭剃り替え刃」を送ってくるハリーズ（Harry's）などの「典型的なサブスク」商売もありますが、多くは必要なときに必要な分だけ注文を出す通常のeコマース形態のものです。それでも、ユーザーがサイトで登録する継続的な関係があれば、「サブスク」の強みをかなり活用することができます。これが、D2Cが注目される所以です。

サービスでもモノでも、定額料金制で毎月自動的に料金が引き落とされるタイプのサブスクは、必要なときに支払うタイプと比べ、ユーザーの定着度がさらに高く、安定的な収入が見込めます。ユーザーは、解約の手続きをわざわざするのが面倒で、あまり使わなくてもだらだらと続けることが多いからです。

コロナ禍で自宅に引きこもることが多くなってから、ネット動画などのサブスクは活況を呈していますが、一方でレンタルドレスは解約が続出していると思われます。仕事の仕方やライフスタイルが変化を強いられる中、サブスク各社にも、明暗が出てきます。

ユーザーとしての私はものぐさなので、サービスやモノのサブスクは大好きですし、新しいアイディアの新しいサービスが出てくるのを楽しみにしています。半分は希望的観測から、モノのサービス化の傾向自体は続いていくと考えています。しかし、長期的に利益が出せる息の長い商売になるかどうかは、まだこれからの勝負です。

AIは魔法にあらず

2018年頃と比べ、その後は日米ともに、だいぶ「AI」という用語を一般メディアで目にする頻度が下がってきたように感じます。

過去にAIと呼ばれていた技術が広く普及するとAIとは呼ばなくなります。前に紹介したように、スペルチェッカーやアップルのSiriは、もうAIとわざわざ呼ぶことはありません。つまり、その少し前の時代で夢だった技術が、実用段階に入ってきたといえます。

現在ＡＩ技術といわれる機械学習や深層学習という考え方は以前からありましたが、それまでは機械が学習するためのデータを大量に蓄積することが高価だったため実現できませんでした。しかし最近は大量に安価にデータを使えるようになり、開発のためのツールもたくさん出てきて、この分野が急速に進化しています。

このため、最近は「ＡＩを使って何々をやります」というサービスはもはや珍しくありません。すでにこの手のサービスが当たり前になったために、これまでと同様、最近はあまり「ＡＩ」という用語をメディアで見なくなっている、ということかもしれません。

深層学習の成果を活かした自動運転の分野では、グーグル／アルファベット傘下のウェイモ（Waymo）、電気自動車のテスラ（Tesla）などの新興勢力と、世界の大手自動車会社が競争で技術を開発しています。

音声解析でも自動運転でも、現在も技術は着々と進歩しています。しかし一方で、現実の厳しさも広く知られるようになってきました。少し前まで、テスラＣＥＯのイーロン・マスクが、完全な自動運転などすぐできると吹聴しており、それをメディアが書き立てました。確かに部分的な機能は多くの車に徐々に搭載されるようになっていますが、なかなか完全自動運転車は発売されません。実は完全な自動運転はあるとしても当分先、もしかしたら無理なのでは、と多くの人が思うようになってきました。

いわゆる「ＡＩを使ったサービス」と呼ばれるものは、機械学習や深層学習だけでなく、従来からあるデータ解析技術や、一般的なウェブやモバイルアプリも含めた「ソフトウェアの塊」です。エクセルやワードや、企業の業務ソフトなどと同様、人がプログラムを書いています。ＡＩは、自然に湧いてくるものではなく、なんでもできる魔法でもありません。

現在のＡＩは「パターン認識」です。将棋や碁のように、盤目の数と駒／石の種類・数が有限であれば、パターンの数は膨大ですが有限で、その中で学習することが可能です。しかし、そうでないケースではＡＩの力が及びません。

自動運転では、将棋や碁と異なり、突発的状況が無限にあるという問題があります。道路上で起こりうる、非常に珍しいケースも含めたあらゆる突発的状況をあらかじめ想定しなければいけません。たまにしか起こらない状況は過去のデータがほとんどないので、トレーニングができません。シミュレーション・ソフトウェアを使って、件数の少ない状況を仮想的に作り出してトレーニングする手法もありますが、それでも足りません。また、現在のコンピューターや通信の能力では、突発的状況に対して対応できるだけのボリュームもスピードも足りません。

機械学習を動かすためには、データの保存と処理のインフラが大量に必要です。入ってくるデータがきれいにフォーマットされていないことが多く、機械に入れる前にデータをクリーニングする作業はまだ人手に頼る部分が多く、コスト高の要因になっています。データが増えると、データ保存のインフラ・コストも上がっていきます。

深層学習による画像解析の場合、トレーニングのために機械に食わせる画像には、「これは何の画像であるか」の説明（タグ）をテキストでつける必要があります。現在のところこの作業は人の手でやるしかなく、インドなどに外注されて低賃金の人たちがやっています。人手を省くためにやっているはずのＡＩづくりに、もっと手間がかかってしまうという皮肉です。コストも当然かかります。

こうして苦労して作った自動運転機能を搭載した車が、現在の3倍の値段になってもよいのか、という課題もあります。自動運転の商売は、まだまだ到達点が見えません。

これに対し、「それほど突発的状況が起きない限定的な環境」を作って、その中だけで動く仕組みを提供しようとするケースも多くなっています。例えば、限定された地域内で同じルートだけ走り、それを人が遠隔監視する仕組みの自動バスや自動配送ロボット、先頭のトラックだけ人が運転してその後を自動トラックがついていく「コンボイ／リーダー・フォロワー」方式などが提案されています。しかし、用途が限定されればそれだけ使える場面も少なくなり、市場が限られ、ソフト、ハードともに「量産効果」が見込めなくなってしまいます。

例えば、コンテナヤードの中だけで働く遠隔操作トレーラーを提供するスタースキー・ロボティクス（Starsky Robotics）というベンチャーがありましたが、２０２０年３月に破綻しました。創業者の破綻時のブログ記述では、いろいろな原因はあるが、突き詰めると「現在の機械学習技術が、世間の期待が高すぎてそれに追いつけない」ことであると述べています。

ＡＩは人の仕事を奪うか

現在の機械学習、深層学習は得意芸が限られており、それだけで一人の人間がやっているあらゆる複雑なタスクをそっくり置き換えることはできません。ただ、より広い意味での「ソフトウェア」が人間の仕事の一部を置き換えるということはすでに起こっています。

よく、「ＡＩが人の仕事を奪う」と騒がれますが、それを言ったら、何十年も前から、ワードプロセッサーは膨大な数の「秘書」の仕事を奪ってきました。昔のアメリカ映画では、エグゼクティブ一人に秘書が一人ずついて、エグゼクティブが口述する内容をタイプライターで打つ場面が出てきますが、いまはもうそういう秘書はいません。

面白いインフォグラフィックス（情報やデータを視覚的に表現したもの）を見たことがあり

ます。州ごとに、「一番就業人口の多い職種」を異なる色で表現したアニメーションで、１９７８年から２０１４年まで、年ごとに色が変わっていき、その変遷がわかるようになっています。１９８８年までは、「秘書」が一番の州が多いのですが、１９９０年で ガクッと減り、２０１４年ではほとんど残っていません。１９９０年といえば、まさに、ワードやエクセルをパッケージにした「マイクロソフト・オフィス」が発売された年です。ちなみに、現在最もたくさんの州でのトップ職種は「トラック運転手」です。

ですので、人の仕事をソフトウェアで合理化するということは、これまでもあり、いまも今後も続きます。ＡＩもそのソフトウェアの一部である、といえばその通りです。

そのさらに以前には、産業機械が職人の仕事を代替したため、職人が仕事を奪う敵として機械を打ち壊しました。機械破壊運動は18世紀後半、産業革命期のイギリスで起こったものです。その後、機械を破壊すると死刑、という法律が作られましたが、それでも19世紀に入ってから再燃し、ラッダイト運動と呼ばれました。現代、ＡＩやＩＴに雇用を奪われることを恐れて、開発や導入に反対することをラッダイトに例えることがあります。

ＡＩの得意分野は、人間ではとてもできない大量のデータを処理できることと、外界の不定形データ（画像や音声など）をデジタル化することです。デジタル化された画像や音声の意味を解するところまではかなりできるようになり、「この写真が犬か猫か」ぐらいの判断は正解の可能性が高くなっています。あるいは、医療や法律の分野で、膨大な過去の症例や判例を調べるといった作業を、人間よりはるかに速く正確にやってくれます。

しかし、それにどう対応するかの「行動」は、人間があらかじめ指示をインプットして動かさなければなりません。このため、煩雑で人がやりたがらない仕事だが、行動の選択肢がシンプルという問題に、最も効果があります。

例えば、自動サーモスタットで「温度を上げるまたは下げる」、完成品検査で「失格品をはねる」、24時間監視カメラをずっと見ていて異常があれば「アラートを出す」といった、シンプルな使い方では威力を発揮します。

しかし、医師がX線画像診断に使う場合、「病気はコレ、治療法はこれ」と決めてその治療までやってくれる、というわけにはいきません。判断も行動選択も複雑で、いくつかの選択肢や確率を提示して、医師の判断を助けるだけです。

ＡＩとナントカは使いようというわけですが、なにしろ人の仕事を奪う敵として「ＡＩ」が特別視されるのはちょっと変だな、というのが私の感覚です。

自動化は切り札となるか

ＡＩを使う目的は「自動化」です。

「利益を出す見込みがない」とされるウーバーは、自動運転の開発を積極的に進めていました。一番大きなコスト要因である「運転手」がいらなくなれば、コストが下がって利益が出るはずだ、つまり自動運転が切り札だ、という目論見です。

倉庫で働く人や、夜中に無人の建物を監視する人が足りない、原発事故処理や新型コロナ対策の消毒作業は人間には危険すぎる、だから代わりにロボットを使いたい。症例や判例をひたすら調べる面倒な作業に、お値段の高い医者や弁護士を使わず、ＡＩを使いたい。これらもわかります。

ただ、「人件費」を「ＡＩ・ロボット」で代替しても、それでにわかに儲かるようになるとは限らないと私は考えています。

現在のところは、ＡＩのコストが高すぎるということはご理解いただけたかと思いますが、この先、ＡＩのコストは徐々に下がっていくでしょう。この場合、コストが下がるという現象にはいくつか背景がありますが、まずは「ソフトウェアを作るツールが進化し、従来よりもずっと手間をかけずに作れるようになる」という点は確実にあります。また、「素材となるデータを集め、保存し、取り出すのがもっと容易になる」というのも確実に進んでいくでしょう。

しかし、画像認識で写真に「ラベル付け」する膨大な作業をなくせる方法はまだ確立していません。音声認識や医療画像でも、個人情報保護との兼ね合いの問題があります。珍しい突発的ケースをトレーニングするための技術はまだ開発途上です。まだまだ、ＡＩには技術的・社会的に課題が多くあります。

人件費が高いといっても、人間一人を代替するロボットやＡＩを作っても、ほとんどコストの削減にはなりません。ウーバーの運転手一人を自動運転車で代替したとして、24時間休みなく働かせれば、人間の3倍ほどは効率があがるでしょうが、車そのものは高くなり、その運用を監視する仕組み、ソフトウェアのアップデート、その分早く車がヘタるなど別の追加コストも発生するので、全体としては「劇的」にコストが下がるようには思えません。

人口が減少する日本では、人手対策のニーズが高まっています。人を使うよりコストが高くなってしまうけれど、どうしても人が足りない、人には人にしかできない仕事をやってもらいたい、あるいは人では危険だから自動化するしかないというところから導入は進んでいくでしょう。

しかし、コストという点でいえば、単純に人間の仕事を「1対1」でAIやロボットでまるっと代替するだけでは「金型」効果は出ません。仕事やプロダクトそのものの仕組みを組み替えたり、他のソフトウェアを組み合わせたりすることが必要であると考えています。

「NBT」をドライブする技術は何か？

ここまで見てきたように、シリコンバレーの企業が大儲けできるのは、ソフトウェアの「アルゴリズムは金型」の仕組みをうまく使ってきたためです。そして、その背景には、ソフトに関わるコスト構造の変化があります。具体的には、①画期的なソフトウェアが出てきて、従来よりもはるかに効率的に処理ができるようになる、②インフラストラクチャー（半導体、通信など）の画期的な向上により、性能向上とコスト削減が「桁が変わる」規模で起こる、などといったことで、いずれも「技術革新」によって起こります。

技術革新は大小さまざまで頻繁に起こり、それぞれに使い方次第で価値があります。ただ、大きなトレンドを作り出すレベルの技術革新は数年〜10年に一度ぐらい、というのがこれまでの私の体感です。

これまでのシリコンバレーの主要な企業や技術イベントを時代ごとにならべていくと、次ページの表のように、10年の「ディケイド」ごとにだいたい特徴づけることができます。

通信業界では、１９８５年前後に、アメリカではAT&Tの分割、日本ではNTT民営化、イギリスではBTの民営化という大事件が世界で同時に発生しました。この経緯は、しばしば「独占禁止」「競争促進」という法規制的な文脈で語られますが、その背後には「マ

年代	時代の特徴	主要企業創業、技術イベント
1950	無線	スタンフォード大学改革
1955～60年代	半導体	1955 ショックレー半導体研究所、1957 フェアチャイルド、1968 インテル、1969 ARPANET
1970	パソコン	1974 TCP/IP、1975 マイクロソフト、1976 アップル
1980	ネットワーク	1982 サン・マイクロシステムズ、1984 シスコシステムズ
1990	インターネット	1990 インターネット商用化、1994 ヤフー、アマゾン、1997 ネットフリックス、1998 グーグル
2000	モバイル、ソーシャル	2004 フェイスブック、2005 ユーチューブ、2006 ツイッター、2007 iPhone/Android
2010	データ、AI、モノのサービス化	（2003 テスラ、2008 エアビーアンドビー、2009 ウーバー、スラック）、2011 ズーム

注：カッコ内は、その前のディケイドに設立されたもの

IT分野、10年ごとの技術イベントと主要企業

イクロ波や光ファイバーによる、長距離部門のコスト激減」があります。長距離部門は、たくさんの回線を束ねて信号を送るので、ここの技術革新のコストへのインパクトは大きく、このため長距離電話が先に安くなったのです。

１９９０年代半ばに、コンピューターが電話網につながり、光ファイバーの次世代技術が実用化されたときには、インターネットの爆発的な普及を引き起こしました。

２０００年代の技術の素材としては、バブルで供給過剰になり価格が暴落した光ファイバーとデータセンターがあり、その後３Ｇデジタル携帯ネットワークの普及も加わりました。

「３Ｇ」では、通信が高速になりましたが、それよりも「全世界統一方式」となったことが画期的であったと私は考えています。それまでは、国ごとに使う周波数が異なり、方式も多数並立していました。このため、携帯電話端末のメーカーは、それぞれの国の通信キャリアを対象に、非常に多数の技術方式に対応しなければならず、専門の端末メーカーはそのための技術者をたくさん抱え、国・地域ごとに各モデルの生産量は細分化していました。ところが３Ｇでは、世界の通信キャリアが話し合い、周波数帯を統一し、二つの方式にまで絞り込むことができました。このため、まるっきり新参者であるアップルが、アメリカのＡＴ＆Ｔに対応した方式の端末を作りさえすれば、世界の半分のユーザーに使ってもらうことが可能になったわけです。

スマートフォンそのものの技術としては、ＯＳとアプリケーションの層を切り離すというコンセプトが成功のもう一つの要因でした。これにより「アプリ」をつくるベンチャーが百花繚乱となって端末の用途が拡大し、その中から次の「ソーシャル」の技術が育ちました。

通信インフラ設備のライフサイクルはだいたい10年程度ですので、その更新時期を狙って新しい方式や仕組みが出てきて、これをきっかけに新しいビジネスがドーンと花開く、というのは理にかなっています。

しかし、その後の２０１０年代では、こうしたはっきりしたインフラの革新が見えていません。携帯電話網は3Gから4Gに進化しましたが、粛々とデータ系サービスが進化するだけで、「iPhone爆誕！」といったほどの大事件は起きませんでした。固定網のほうも、そろそろ現在の仕組みは能力の限界に近づいているという話があります。

半導体のムーアの法則も、スローダウンしているといわれています。高度なAIでは、現在のチップ（CPU／GPU）だけでは処理能力が足りなくなっています。クアンタム・コンピューティング（量子コンピューター）がすごいと言われますが、まだまだニッチな存在で、実用化までには時間がかかりそうです。

2019年には新しく5G（第5世代移動通信システム）が一部で始まり、今後徐々に世界で導入されていきます。高速で大量の通信が可能になるため、自動運転やロボットなど、クラウドとIoTでの技術革新が期待されています。

ただ、5Gでは従来と異なる高周波数帯も使い、その場合は電波の到達距離が非常に短く、これまでよりも基地局を非常に密に建設しなければなりません。携帯電話ネットワークの建設で一番大変なのがこの基地局を置く場所の確保ですので、一つひとつは小さいとはいえ、非常に多数の基地局を建設し、またそれをメンテして運営するためのコストと手間は膨大です。国土が広くて過疎地が多いアメリカでは5Gの面的な展開は非常に時間がかかると見られ、永遠に田舎までは広がらないと考える人も多く、コスト効果は不明です。そして、この上で「金型」になりうるようなアプリケーションやプラットフォームができるのか、それにはどのくらい時間がかかるのか、未知数の状態です。

２０１０年代前半の深層学習は画期的な技術ではありますが、そのベースの部分のインフラは、前ディケイドの「続き」に過ぎません。また、２０１０年代に設立されて、例えばフェイスブックのような世界的影響度に短期間で至った著名ベンチャーというのは、実はまだ出現していません。

このように、「NBT」をドライブするはずの、コスト構造を大きく変える可能性のあるインフラの変遷は何なのか、いまのところまだ見えないのです。テック業界の中の人たちならば、NBTのデビューの頃には、「ハテ、この不思議な技術は何？　既存業界はこんなのダメだと言っているが、別の人たちはスゴイと言っている、どっちが正しいのか？」という予感があるものです。

そんなNBTが、いずれは必ず出現します。しかし、まだ少し時間はかかるでしょう。

その一方で、なぜか資金が集まります。２０１６年から19年まで「いよいよ崩壊する、いつかはじける」と言われ続けながら、バブルは続きました。２０２０年のコロナ禍で超特大のブレーキがかかってしまいましたが、技術の流れもカネ余りも変わっていません。

これまでのシリコンバレーの常識がもう通用しない時代になっているようです。自動車のような大産業の変革や、半導体のような基礎技術分野でのブレークスルーには、ゲームやソーシャル・アプリよりもはるかに長い時間と大きな先行投資が必要です。グーグルのような、こうした長期的な投資に耐えられるほどの大企業の支配が強まり、長期投資可能な巨大ファンドが活躍するというのは、そんな時代の反映であるのかもしれません。

第8章　シリコンバレーの変容

そこにソフトウェアの金型効果はあるのか

さて、「これまでのシリコンバレーの常識が通用しない」という点について、もう少し考えてみましょう。

ウィーワーク事件の経緯については前に述べましたが、ここではこの事件から考慮すべき問題として取り上げたい点が二つあります。

一つは、ウィーワークは果たしてテクノロジー企業なのか、つまり「ソフトウェアの金型効果があるのか」という点です。

上場していない企業の株価を決める方法はいろいろあり、そのうち一つのわかりやすい指標として「売り上げマルチプル」というものがあります。未上場の会社は財務状況を公開していませんが、売上額は公開している場合もあります。このとき、「企業評価額＝株価×株数」が売上額の「何倍」となるか、が「売り上げマルチプル」です。

現在の売り上げよりも、将来ははるかに大きく成長し、利益が増大すると思われる企業ならば、株価は高く評価されるので、マルチプルが大きくなります。

「ソフトウェアの金型効果」が効くタイプのテック企業であれば、製造業と同じく、ユーザーが増えて一定の閾値《しきいち》を超えたあとは「量産効果」が出て、利益が急激に増えていきます。そして、データ量やユーザー数の増加がプロダクトの品質向上につながり、ますますユーザーが増えるという「好循環」による参入障壁が作動します。

このため、テック企業では「成長すること」自体の価値が大きく、成長が見込まれる企業がとても大きな「マルチプル」で評価されるのです。

しかし、ウィーワークの場合、事業にテクノロジーを利用してはいますが、利益構造の中では大きな役割を果たしていません。あくまでも「（ユーザー〈入居者〉から受け取る賃料）ー《マイナス》（ビルの持ち主に支払う賃料）」の差額でしかありません。そこにソフトウェアの金型効果はなく、またユーザーが増えると価値が増えるという好循環も特にありません。

さらに、「成長の効果」も限定的です。ウィーワークは最初のうち、本拠地ニューヨークのほか、サンフランシスコなど、テック業界従事者の多い「大都市」に集中的に出店しました。潜在ユーザーの多い都市ならば、「同じ面積にできるだけ多くの契約を詰め込む」ことで利益率を上げることができます。しかしそれにも限界があるので、成長するためには、その後、大都市だけではなく、より人口の小さい中小都市にも広げることが必要になってきました。

私は郊外に住んでいるので、コワーキングを検討しだした数年前には、近くにウィーワークがなく、別の地味なコワーキングを契約しましたが、２０１９年になって、我が家の近くにもウィーワークができました。

そうすると、中小都市では、大都市ほどの高密度ではユーザーを詰め込むことができないはずです。成長のために面的に広く展開しようとするほど、利益率は下がってしまいます。

それに、ウィーワークの「共有スペースを大きくし、ファイル・キャビネットと固定電話をなくす」という高密度戦略は、それ自体は誰でも真似できます。

ウィーワーク登場初期の頃、コワーキングスペースはそれ自体で事業として成り立つとは思われておらず、例えばＶＣがベンチャーを支援するために運用するなど、別の目的を兼ねていました。しかしウィーワークの成功が伝えられると、それ自体を事業とするコワーキングスペースが各地で多数出現、従来型サービスオフィス最大手のリージャスも参入しました。

つまり、ウィーワークの成功は、かえって参入障壁を低くし、競争は激化してしまうという、通常のテック企業とは逆の方向に行ってしまいました。

ということで、ウィーワークはテック企業の利益構造が期待できず、テック企業の「高いマルチプル」は理屈に合わないということになります。テクノロジーを使っているかどうかよりも、「金型効果」と「好循環」の仕組みが基盤になっているかどうかが、「高いマルチプル」を得られるかどうかの境目なのです。

時代に合わなくなった「エア風呂敷」

もう一つの点が「エア風呂敷」のお話です。

かつて、スティーブ・ジョブズやビル・ゲイツは、まだできないことを「できる」と大風呂敷を広げ、後で技術を開発して追いつかせることで成功してきました。グーグルは、まだ小さいベンチャーの頃から、「世界中の知識を整理する、それで世界を良くする」という理想の大風呂敷を広げていました。

このため、ベンチャー界隈では「大風呂敷」が大好きな人が多く、大言壮語で理想を語る度胸がなければ大成功できない、という考え方が強くあります。

ウィーワークのアダム・ニューマンも、ある時期からウィーワークが「人間の働き方を変える、コミュニティの思想を生活のあらゆる場面で実現する」といった大風呂敷を広げるようになりました。そして、自らも「大風呂敷」で成功してきた孫正義は、これに共感してニューマンと意気投合したといわれています。

「いまはできなくても、もうちょっと頑張ればできそう」という技術を「できる」と言ってしまってから、後で追いかけてそれを作るというやり方は、英語で「fake it till you make it（できるまではごまかせ）」と称され、実はベンチャーではよくあることです。

しかし、「もうちょっと頑張れば」程度ならばよいのですが、「どんなに頑張ってもできるはずがない」ことを語れば、それは単なる夢物語であり、それで投資家からお金を集めれば「詐欺」にすらなりかねません。また、高邁《こうまい》な理想は結構ですが、自社の事業とそれほど関係ない大げさな話であれば、単なる「こじつけ・牽強付会《けんきょうふかい》」です。それは「大風呂敷」ではなく「エア風呂敷」です。

エア風呂敷でお金を集めた明らかな詐欺の有名なケースとして、前に紹介したセラノスがあります。同社創業者エリザベス・ホームズは、血液検査に関わる専門的な知識はなく「こんなのがあったらいいな」程度のアイディアしか持たず、その後集めた資金で専門家を雇い、「こういうものを作れ」と命じました。しかし、専門家自身は「そんなものを作れるはずがない」と悩み、それを経営陣に申し立てても「もっと頑張れ、できないのはお前が無能なのだ」とパワハラされ、外部に告発しようとすれば脅迫され、ついには自殺者まで出ましたが、実態を隠すために、検査結果を捏造《ねつぞう》するなどウソにウソを重ねました。

ホームズがこれほどのお金を集めた背景の一つに、彼女が「血液検査の技術革新により、医療費を削減し多くの人を救う」という理想を語っていたという、「エア風呂敷」手法がありました。それができれば素晴らしいのですが、そもそもの技術が全く根拠のない「エア」でした。

ホームズは、スティーブ・ジョブズの崇拝者で、彼と同じ黒いタートルネックを着て、片足をもう片方の膝の上に乗せて組み、異様に低い男性のような声で話すという、特異なスタイルでも知られていました。彼女自身は、自分のやっていることはスティーブ・ジョブズ流の「できるまではごまかせ」なのであり、ベンチャーを成功させるためには仕方ないことだと信じていたのでしょう。

もっと小さな例としては、例えばジューセロという、ジュース絞り機のベンチャーがありました。同社は、健康・オーガニック志向に目をつけて、果物や野菜を小さく切ってパックにしたものを絞ってジュースにできる機械を作りました。機械はWi-Fiに接続でき、QRコード・リーダーがついていて、原料パックのQRコードを読ませると、それに合わせた絞り方をしてくれる「IoT機器」という触れ込みでした。機械の販売だけでなく、原料パックのサブスクリプション販売で儲けるという、最近流行りのビジネスモデルを謳い、著名VC

などから1億ドル以上の資金を集めました。

しかし、テック・メディアが「ジュースパックを手で絞れば全く同じジュースができる、高額な機械もＩｏＴも不要」という実験を行ってその動画を公開、炎上して信用を失い、結局２０１７年に会社を閉鎖しました。

この例では、「ジュース絞り機」という核部分にはほとんど価値がないのに、「ＩｏＴ」「サブスクリプション」「オーガニック」といった流行語で飾り立て、「健康な生活をテクノロジーで実現する」というエア風呂敷を広げていました。

正当な「大風呂敷」が成立するためには、ベースとなる技術が急速に進化していることが必要です。ジョブズやゲイツならば「ムーアの法則」に見られる半導体とコンピューターの急速な発達、グーグルやフェイスブックならばインターネットとモバイル通信の急速な発達の時期にうまく乗っかっていました。それは、彼ら自身のスキルや努力だけではどうしようもない、外部の技術、プロダクト、インフラなどの多くの時代的要因も合わさった結果です。

しかし、セラノスのように全くベース技術がないとか、ウィーワークのように「世界を変える」壮大なストーリーがこじつけにすぎなければ、エア風呂敷です。これらには「時代的要因」の追い風がないのです。

そして、前述したように、現在は「ＮＢＴが何か」が見えなくなった時期、言い換えれば

「ネタ切れ感」が漂う時代にあたります。それでも投資家の注目を引きつけようと大きな理想を語れば、「エア風呂敷」になりがちです。エア風呂敷屋さんたちが馬脚を現す事例が相次いだいま、もうそれは通用しない時代になったのです。

カリスマか、パワハラか

ウィーワークのアダム・ニューマンや、セラノスのエリザベス・ホームズは、「カリスマ」として祭り上げられていました。

エリザベス・ホームズの場合は、前述のようにスティーブ・ジョブズ風の変わったキャラクターで知られていましたが、それ以上に、「女性（しかも、目力のある、金髪の魅力的な若い女性）である」ことが彼女の「カリスマという誤謬《ごびゅう》」を助長していました。

シリコンバレーはまだまだ男社会です。テクノロジーの専門家に女性が少ないこともあり、ベンチャーを起業するのも、それにお金を出すのも、男性の比率が圧倒的に多くなっています。「もともと女性がテクノロジーに興味がないのだ」という人があり、「VCが圧倒的男性優位なので、女性の起業家がなかなか投資を受けられないのだ」という人もいます。どちらが正しいかは何ともいえません。

いずれにしても、自力でテックベンチャーを立ち上げて大きく成功した女性は実質上まだいないため、メディアも投資家も、「初めて大成功したシリコンバレーの女性起業家」というスターを熱望する空気がありました。彼女のプロダクトや事業に関する話が「怪しい」と引っかかっても、それを「いや、でも少々のことには目をつぶろう」ということで、打ち消してしまいました。

男性の起業家であっても、しばらく大物ベンチャーの出現が途絶えている中で、「カリスマ起業家」を求める空気があります。ＶＣという商売は、ときどき大当たりが出ないと成立しないので、なんとか大当たりを育てようとする力学が働きます。

ちやほやされてお金がたくさん入ってくると、頭がおかしくなりがちです。その結果、カリスマさんは誤った「全能感」に支配されてしまいます。あるいは、ショックレーのように、もともと変な人である可能性もかなりあります。

投資家がベンチャーに大金を投入するのは、「好循環」の域に早く達するよう、急成長を促すためです。このためベンチャー創業者は、自分にも従業員にも、常軌を逸した過剰労働を求めることになり、そのストレスの反動で、常軌を逸した派手なパーティで酒を飲んだり暴れたり、ときにはマリファナやセックスまでからんだりします。こうして「Work Hard, Party Hard（ハードに働きハードにパーティする）」という文化ができあがりました。

この文化では、カリスマ経営者の全能感から発する、従業員に過剰労働を求めるパワハラや、女性に対して尊大になるセクハラが起こりがちです。ウーバーでも、ウィーワークでも、こうした現象が見られました。

ウィーワークでは、アダム・ニューマンが自分の大好きなテキーラを従業員に強要するという、日本の「アルハラ（アルコール・ハラスメント）」のような話もありました。スティーブ・ジョブズは、エレベーターで乗り合わせた従業員がちょっと気に入らない行動をすればすぐにクビにした、という有名な逸話がありますが、ウィーワークでは、ニューマンの妻がスピリチュアルにはまって、たまたま見かけた従業員を「悪い気を持っている」といってクビにしていました。

スティーブ・ジョブズが偉い人だったのは間違いないですが、経営者スタイルとしては、彼の悪い影響もそれなりにあるような気がしてなりません。

エア風呂敷屋に騙されないための「血と汗」

そうはいっても、いまでもなんらかの「大風呂敷」はベンチャーにはつきものです。「ディスラプション（旧来の秩序を破壊する大きなイノベーション）」と「できるはずのない技術・詐欺」との区別、すなわち本物の大風呂敷とエア風呂敷をどうやって区別すればよいのでしょうか？

カリスマ起業家が時流に乗ってもてはやされる空気が醸成されてしまうと、その技術や事業に疑問をはさむこと自体が「イノベーションを阻害する旧来勢力」のような扱いをされることになり、多くの人は口をつぐんでしまいます。本心では「この技術は実用化できるはずない」「このビジネスで儲かるわけない」と思う人がいても、その意見は表に出てこなくなってしまいます。ベンチャー投資界隈では、「人がまだ知らない会社や技術を自分がいち早く見つける」ことが成功のカギとなるので、投資しなかった人が批判しても「出遅れた負け犬の遠吠え」と見られかねません。正しい評価がどんどん難しくなります。

セラノスについて、シリコンバレーのコンサルタント渡辺千賀さんが2016年に書いたブログで、「これだけの大規模増資ならばほぼ必ず含まれているはずのセコイアやアンドリーセン・ホロウィッツなどの大手ファンドが全く投資家リストにない。これは、シリコンバレーのベンチャーとしては異例なことである」と述べています。

ウソに引っかかって多額を投資していたのは、おもにPEでした。前述のようにPEの投資対象は未公開株式ですが、ある程度の規模になっている企業に投資するのが本業で、いわばベンチャー投資は「専門外」です。

一方、海千山千のVCたちは、技術の中身を投資家に公開しないセラノスを怪しんでいました。アルファベット（グーグル親会社）傘下のGVは、「従業員が実際に血液検査に行ってみたら、普通と同じく腕から多量の静脈血を取っていたので、看板に偽りありと思って投資しなかった」と言っていたそうです。

ウィーワークに対しては、初期にはVCも投資していますが、2017年以降はほとんどソフトバンクグループのみとなっています。

だからといって、有名VCが投資していればなんでもOKかというとそうでもありません。有名VCが投資していることは、ある程度の「基礎点数」にはなりますが、これらのVCも全知全能ではないので、間違えることもあります。また、他の人がダメと評価しても、自分の会社が投資して、自社の技術と組み合わせればうまくいくという場合もあり、そういうケースでは「格安」でよい案件を入手することができます。

ベンチャー企業を評価するときには、数字だけ見ていたのではまるで無意味です。ベンチャーですから過去の実績はほとんどなく、将来予測などいくらでも風呂敷を広げることができます。そして、VCではそういう場合の評価スキルを経験として積み重ねています。

これまでの物差しでは測れない新しいものなので、「テッパン」のやり方はありません。もちろん、例えば経営者の経歴を見るとか、技術の中身を精査するとか、少ないながら実績はどうか、など、いくつか必ず踏む定番のステップがありますが、それ以上は、自分で汗をかき、ときにはセラノスのように文字通り「血を流して」まで、裏を取って判断するしかありません。

すなわち、現場を見たり話を聞いたり、製品を使ってみたり、文献を読み込んだり、専門家の話を聞きに行ったり、カンファレンスで同じ分野のほかの会社と比べてみたりなど、プロダクトや事業の実態をあらゆる角度から見ることが必要になります。

最終的には、努力して考えぬき、「血と汗」を流し、自分の力で判断するしかありません。

シリコンバレーの長過ぎる春

さてそういうわけで、２０１６年以降、シリコンバレーを支える資金の性質が変わり、本来ならば、技術のトレンドに従ってそろそろスローダウンすべきシリコンバレーの景気が、いろいろな要因で無理やり引き延ばされ、長過ぎる春感が続いていました。

Silicon Valley Indexという統計によると、２０１０年をピークに、アメリカ全体でもシリコンバレーでも失業率は継続的に下がり、19年では2・2〜2・3%と、全米の3・7%と比べてもさらに低くなりました。アメリカでは4%で「完全雇用」とされており、アメリカ全体でも景気過熱状態だったわけですが、シリコンバレーはそれをさらに上回っていました（以下、人口動態数値はこの資料によります）。

普通は、景気は悪いよりも良いほうがよいに決まっている、と思いがちですが、事はそう簡単ではありません。

景気が悪くなると、ベンチャーは、大企業をレイオフ（一時解雇）され失業したエンジニアを安い給料で雇える、オフィスを安く借りられるなどといったメリットもあります。バブルに浮かれる間は、人まねや口先だけで金儲けしようとする人たちが流入しますが、景気低迷期には「本物」だけがフィルターにかけられて残ります。

少なくとも、私が実地で見てきた過去30年ほどの間、シリコンバレーは景気の浮き沈みとそれによる資金や人の出入りを繰り返すことで、バランスを保ってきました。

従来の景気の浮き沈みとは性格が全く異なりますが、２０２０年のコロナ禍により、この振り子がようやく、いつもの振れを見せ始めるのではないかと私は考えています。

土地と町の変容

ここ数年の長過ぎる春のせいで、シリコンバレーでは不動産の異常な高騰が起こりました。家の値段と家賃がバカ高くなり、その影響であらゆる物価が高くなりました。我が家はサンフランシスコ市まで通勤に1時間ほどかかる郊外ですが、特に治安の悪くない普通の地区の一軒家の販売価格は最低でも１００万ドル（約1億円）、借りれば月額３０００ドル（約30万円）以上します。我が家は幸い、そんなに高騰する前に家が買えたのでまだよかったのですが、若いカップルなどではとても大変です。

その影響で、あらゆるモノの値段が高くなりました。日本に行くと、１０００円以下でおいしいものが食べられますが、まるで夢の世界のようです。

少し前に、「シリコンバレーでは年収２０００万円でもカツカツの生活しかできない」という嘆きがツイッターで話題になりましたが、本当の話です。実際にシリコンバレーの「世帯所得」のメジアン（中央値）は、２０１７年で11万８４００ドルであり、全米のほぼ倍です。それでも、物価が高いために贅沢はできません。

このため、近年はシリコンバレーを出ていく人が多くなっています。伝統的にシリコンバレー地区では、「外国からは流入、国内へは流出でほぼトントン」というパターンが普通ですが、２０１１〜15年の間は全体に流入過多に転じていました。しかし、16年以降はまた国内への流出が急増し、「社会減」に移行しています。長期的に、どんどん住みづらくなっている体感があります。

一方で、「町の形」が変わりつつあります。

アメリカでは一般的に「大都市は超大金持ちか貧困層、中流家庭は郊外」という住み分けが進んできました。シリコンバレー地区も例外ではなく、中流家庭は郊外の一軒家に住むことが多く、移動は自動車というのが普通でした。

「シリコンバレー」という産業クラスターが、大都市サンフランシスコでなく、南の郊外で発達した背景には、スタンフォード大学の存在や工場を建てるのに適した広い土地などの点に加え、「普通の家族が住む場所」という理由もありました。子供を持つ普通のサラリーマンの居住地から近いところが便利であったわけです。

郊外と都会をつなぐ鉄道があることはあるのですが、以前は、鉄道は車を持てない低所得者層の人が使うものとされ、鉄道駅の周辺にはそういう人たちが住むので、駅の周辺は荒れ果てているのが普通でした。アップル、オラクル、シスコシステムズ、グーグル、フェイスブックなどは、いずれも郊外に立地しています。

しかし、この10年ほどの間に、だいぶ様変わりしてきました。人気のテクノロジー企業のプロダクトやサービスが、以前の無機質な業務用から、ウェブやモバイルで一般消費者が使うタイプのものに変化し、優れたユーザーインターフェース、デザイン、コンテンツなどのソフトな価値がより重要となり、これらを担うエンジニアやデザイナーたちが都会に住むことを選ぶようになりました。企業も、かつては自社内に大きなサーバー設備を置く必要があったために、多少でも地価の安い郊外である必要がありましたが、最近ではクラウドを使えばその制約もなくなりました。セールスフォース、ツイッター、ウーバー、リフトなどは、いずれもサンフランシスコ市内に本社があります。

土地開発のおかげで、サンフランシスコでも郊外でも、ジェントリフィケーション（市街地再開発により、高所得住民が流入して街が美化されていく現象）が進み、その核となったのが、鉄道駅前の活性化でした。環境配慮から車を減らそうという目的もあり、公共交通機関そのものへのテコ入れがまず始まり、駅前通りの拡張や改装、駅ビル・ショッピングモール建設、駅前オフィスビルへのテック企業の誘致などが進んで、駅前がきれいになり、小洒落たレストランが駅前通りに並ぶようになりました。

そして、いままでは低所得の人が住む家しかなかったり、単に空き地として放置されていたりした線路沿いに、急速に集合住宅が建ち始めました。列車の音はかなりうるさいはずですが、歩いて駅まで行くことができます。郊外の広い一軒家よりは狭いですが、若い家族ではもはや一軒家は手が届かないので、代わりに「便利さ」を提供できる、こうした集合住宅が人気を集めています。

私自身の生活感覚の中で、こうした変化の最大の象徴は、「映画館」でした。2000年代前半は、子供たちがまだ小さく、子供向け映画を観るために連れていくのは、高速の出口から近いけれど周囲にはレストランも何もなく、海に近い葦《あし》の原にポツンと建っていた映画館でした。映画ぐらいしか娯楽施設のないアメリカの郊外というのは、こういうものだと思っていました。

しかし2008年、同じ町の少し内陸にある鉄道駅のすぐ前に、新しい映画館ができました。その周囲には、立派なドーム型の市庁舎や郡の行政機関があるのですが、かつては荒れ果てていました。そこが大幅に再開発され、商店街やレストランもたくさんできました。車は映画館の地下や、駅の立体駐車場に停められます。広い駅前街区に、人がたくさん歩いているようになりました。それまでは、車でさっと行って、映画が終わればさっと帰っていたものが、映画のあとで食事やお酒を楽しむことができるようになり、映画館に行くのがすっかり楽しくなりました。

それまでも、半導体製造はサンノゼ、ソフトウェアはサンフランシスコ半島の真ん中あたり、といった区分が漠然とありました。しかし、この時期に沿線の市が競争で駅前を整備し、大企業やベンチャーの誘致合戦を繰り広げた結果、より細かいIT産業クラスターがあちこちにできるようになりました。

アメリカ全体として、「郊外分散」から「都市集中」への回帰の傾向がある程度あったのですが、ここでは必ずしもシンプルな「都市集中」ではなく、「クルマと公共交通機関と町」のバランスが変わってきた、ということになりそうです。

社会格差の拡大

最近、サンフランシスコではホームレスの人が多くなっていました。グーグル本社のあるマウンテンビュー市やパロアルト市などでは、路上駐車のできる広い道に、キャンピングカーがずらりと並んでいます。楽しいキャンプにやってきている訳ではありません。家を維持できない人が、「路上生活」をしているのです。従来は「庶民」が多く住んでいたサンフランシスコ市内では、庶民である旧住民と、ジェントリフィケーションで流入してきた高給取りの新住民の間で摩擦が続いています。

郊外に本社を置くグーグルやアップルなどの大企業では、従業員がサンフランシスコなどのやや遠い場所からでも自家用車を使わず通勤できるよう、自前の通勤バスを運用しています。シリコンバレーの高速道路では、車体に何も書いていない大型バスがたくさん走っているのを見かけますが、真っ白のものはグーグル、グレーのものはアップルのバスで、他にも多くの企業バスがあります。高給取りのグーグルやアップルの従業員がサンフランシスコに流入する摩擦の象徴として、これらの通勤バスが襲撃される事件も発生しました。

アメリカ国内で、あらゆる社会格差が拡大しているわけですが、シリコンバレーでも、例えば学校の先生、警察や消防など、ハイテク技術者並みの高給はもらえないけれど大切な仕事をする人たちが、シリコンバレーに住むことができなくなっています。

息子がお世話になった若い高校の先生は、少し遠方の、サンフランシスコ湾を隔てた東岸側（イーストベイ）に住んでいました。イーストベイなら、まだそれほど高くない家が入手できます。しかし車で通勤すると、湾を渡る橋は渋滞が激しく、また長距離を走るのでガソリン代もバカになりません。イーストベイからサンフランシスコ市内を通って、高校から車で20分ほど離れた駅まで来る地下鉄もありますが、駅から高校まで、車がなければ来られません。それで、その先生はボロボロの車を安く入手し、高校側の駅に置いておくことにしました。家近くの駅までは普通の車で行き、駅の駐車場に停め、地下鉄で高校側の駅まで来て、そこでボロ車に乗って学校まで行きます。帰りはボロ車で高校側の駅まで行き、夜と週末はそこに放置します。ボロ車なので、そこで盗まれたり壊されたりしてもまぁいいやというわけです。おそらく、通勤時間は2時間近くかかると思われます。

そういうわけでシリコンバレーを離れていく人が徐々に増えていますが、そうはいっても、この地域には少なくとも仕事が多くあります。高所得・中所得・低所得に分けた雇用数を見ると、２０１０年から18年までの間、すべての層で30％以上雇用が増えています。気候もよく、楽しみもたくさんあるので、通勤や生活に苦労しても、なかなか離れられない人も多いのです。

ＧＡＦＡなどのテクノロジー企業は、「金型効果」と「好循環」のおかげで、利益率が大変高い体質です。そのおかげで、従業員にはたくさん給料を払うことができ、また優秀な従業員が高品質の金型を作ってくれることが重要なので、ほしい人材には気前よく払います。

しかし、ここに大きな問題が残ります。以前の第4世代型の「製造業」では、あちこちで工場や販売店を作り、各地のサプライヤーからモノを買うことで、たくさんの良質な「雇用」を地理的に広範囲で生み出すことができました。これにより、元祖金型効果で生み出した富を十分な給料としてたくさんの人に分配し、中流階級を作り出しました。しかし、ＩＴ産業ではそうした産業の裾野が小さく、雇用創出の力が弱いのです。

日本でも、なかなかＩＴ産業が、製造業のように社会的にリスペクトされるようにならないのは、そのためだと私は考えています。アメリカでも同様で、ＩＴ産業は比較的従業員が少なく、金型で作られた富を、雇用によって多くの人に分配する仕組みが弱く、むしろ社会格差の増大を助長しているとすら考えられます。産業の裾野が小さいので「味方」も少なく、このために何かあればすぐに批判の対象になりやすいのだと思われます。

最近、ＧＡＦＡを中心とする「ビッグ・テック」へのメディアの風当たりが徐々に強くなりつつあります。フェイスブックでは、ケンブリッジ・アナリティカというイギリスの政治コンサルティング会社が、ユーザーに無断でフェイスブックの個人データを収集して、２０

16年大統領選挙でのトランプ陣営の選挙運動に利用した案件が18年に発覚、その後いくつもの個人情報をめぐる問題が発生しています。アマゾンは、倉庫で働く人たちの労働環境がひどいと問題視されています。

カリフォルニア州では、ギグワーカーが従業員としての最低賃金、病気休暇、失業保険などの保護を受けられるように、従来よりも厳しい州法が2019年9月に成立しましたが、ウーバーの運転手はまだまだ厳しい生活です。運転手が苦労する一方で、「カリスマ創業者」がハードなパーティでバカ騒ぎする様子が報道され、ネットでさんざん叩かれています。

それぞれに技術やサービスと倫理の間の問題は確かにありますが、それよりも、社会格差が増大しつつある中での庶民感情として、「ビッグ・テック」のお金持ちが「私たちを安くこき使っておきながら」「あこぎに大儲けしている」「調子に乗っている」という反発であるように思います。

ここは、いまのところ効果的な解決方法は見つかりません。ビッグ・テックが長期的に取り組むべき課題であると私は思います。

泥棒男爵方式とドーピングの懸念

メディアのビッグ・テックへの批判の根底にあるもう一つの要因は、「独占」に対する懸念であると私は考えています。

ウーバーはソフトバンク・ビジョン・ファンドから多額の資金を得て、サービスを急速に拡大しました。そのために、運転手には多額のサインアップ・ボーナスを支払う、ユーザーにはタクシーよりも格安の料金を呈示し無料クーポンをばらまくなど、英語で言う「throw money at the problem（問題に対しておカネを投げつける）」、つまりカネで問題を解決しようとしたわけです。アスリートがドーピングをすることで、自然にはできないほどのパフォーマンスを短期間で得ようとするのに似ています。

とても高いコストがかかりますが、ウーバー創業者のカラニックは「この事業はwinner takes all（勝てば独占）」と考えていたため、あえてこの戦略を採りました。前述のように、グーグルなどのようなテック企業の場合、「好循環」に入れば「勝てば独占」になりやすい性質がもともとあります。ウーバーの場合も、投資された資金を背景にタクシー業界やライバルのリフトを一気に潰し、独占状態にすれば、その後は自社でユーザーのデータを独占し、料金を上げることも容易になる、と考えました。

あれ？　こういうストーリー、どこかで聞いたことがあるような気がしませんか？　そう、19世紀後半の「泥棒男爵」跋扈の時代、資本家たちが採った手法です。当時は略奪的価格設定が横行しましたが、私が安値でレンタルドレスを借りている「ＶＣ補助金漬けライフ」は果たして略奪的価格設定とはいわないのか、疑問です。

その時代はいまのようなルールも整備されていなかったので、暴力的な手法が横行していました。彼らの目的は、ライバルを潰して、業界で自分しかいない状態を作り出し、ルールや料金を意のままにすることでした。

トーマス・エジソンは、自分の「直流」方式の電力事業に対し、「交流」方式を主張したライバルのニコラ・テスラを悪質なデマで攻撃して、テスラが精神を病むまでに追い込みました。いつの時代も、フェイクニュースは有効な手段です。映画業界では、自分の会社にライセンス料を払っていない映画製作者に対し、地元ニュージャージーのマフィアを雇って襲わせたので、映画製作者たちは集団で脱走し、エジソンの魔の手が届かない大陸の反対側、はるかなるカリフォルニアで、ハリウッドを作り上げました。アレクサンダー・グラハム・ベルが電話を発明して創業したＡＴ＆Ｔは、こちらもニュージャージーでしたが、初期の頃多数創業されたライバルの電話会社をマフィアに襲わせ、設備機械を引きずり出して往来に積み上げて燃やしたといいます。

ジョン・ロックフェラーのスタンダード・オイルやアンドリュー・カーネギーの鉄鋼会社は、企業買収を駆使した独占戦略を大々的に行い、その反動で反トラスト法から現在に至る独占禁止のさまざまな仕組みができました。

現代では直接的な暴力手段は使われませんが、ウーバーがやろうとしたことは、目的としてはこれに近いといえます。同じように、ウィーワークも「カネの力でドーピング急成長」戦略を採りました。そして、この2社のドーピング用のカネを提供したソフトバンクグループまで、最近は批判が向けられるようになってきました。孫さん自身はそんなつもりはなく、ただ「投資回収に長期が必要なタイプのベンチャーを助けよう」と思っただけかもしれませんが、見方を変えるとここに示したようにも見え、メディアがソフトバンクグループやウィーワークを叩く気持ちの根底には、泥棒男爵時代の再来を批判する思いがあったと思われます。

実際には、タクシーとウーバーとリフトが競合し、地元の貸しオフィス業者とウィーワークが競合する、普通の世界が続いています。ベンチャーの世界では、メディアが叩く必要もなく、普通に商売する中で、勝負がつきました。

しかし一方で、すでに好循環状態にあるGAFAは、新サービスを提供するベンチャーの買収や、アップルのクレジットカード、アマゾンやグーグルの医療参入など、これまでと異なる領域にまで手を伸ばし、「勝てば独占」の版図を広げつつあります。NBTが見えず、新しい技術ベースに基づいて自然に爆発的成長をするようなベンチャーが出現せず、もともと優位性を持つ大手に挑戦することがなかなかできません。

その意味で、「ドーピング」戦略を採らざるをえなかった新興ベンチャーやソフトバンクグループにも、同情の余地があります。ベンチャーがGAFAに伍して急成長するためには、ドーピングでもして無理するしかなかった、とも考えられるからです。

シリコンバレーは終わり？

こういう話をすると、「では、もうシリコンバレーは終わりなのか？」という疑問も出てくることでしょう。実際、最近よく聞かれる質問です。それに対し私はいつも、「そんなことはないでしょう。世界はもう終わると預言者が昔からずいぶん言っていますが、いまのところ世界はまだ終わっていないのと同じです」と答えます。それは、コロナ禍で世の中がひっくり返ったいまでも、変わりません。

シリコンバレーの最重要経済指標である、ベンチャー投資の趨勢《すうせい》を見てみましょう。VCの投資先地域として、シリコンバレーとサンフランシスコを合わせて、ドットコム・バブルの頃はだいたい全米の30％程度のシェアでしたが、2018年では45％まで上昇しています。

現在でも、シリコンバレーが相対的に苦手な分野もあります。例えばMITを地元に持つボストンは、産業向け機械やロボット、ゲノム編集技術などで強く、これらの分野ではシリコンバレーより優位な部分もあります。しかし、デジタルがクラウドとモバイルに集中する流れの中で、ソフトウェア、クラウド、デジタル関連のベンチャーは、引き続きシリコンバレーが強いままです。

「いや、これからは中国だ」という人も多くいます。実際、中国の技術発展はすごい勢いであり、また中国は巨大なマーケットです。

ただ、米中貿易摩擦が問題になる前から、中国の企業でアメリカに自社ブランドでまともに進出しようという企業は少なく、ファーウェイがその最初の事例になりそうだったところを、アメリカ政府からシャットアウトを喰らいました。日本のトヨタや韓国のサムスンのようなレベルで、消費者にも親しまれる中国のブランドというのはまだ存在しません。

中国版のビッグ・テックはBAT（バイドゥ、アリババ、テンセント）とかBATH（ファーウェイを加える）などと呼ばれていますが、いずれもアメリカでは大きな商売はしていません。iPhoneなど、アメリカ・ブランド製品の多くが中国で作られていて製造拠点としては重要ですが、「ブランド」としての存在感は薄いままです。別の角度から見れば、アメリカ市場に完全に依存する必要のない中国の強さの証ともいえます。

引き続く米中摩擦に加え、コロナ禍の影響で、世界各地でサプライチェーンが分断され、自国製造主義が強まっています。中国はアメリカからの製造委託に頼らないようにと躍起になっており、アメリカは自国に製造拠点を戻す「リショアリング」の動きが今後ますます大きくなるでしょう。米中の「ディカプリング（分断）」が進行する中、アメリカやその仲間の国において、富とアイディアの点で、シリコンバレーがますます頼りにされるのではないかと考えています。

シリコンバレーでは、ベンチャーに提供する資金も、アイディアや技術も、それをサポートする先端的な顧客や人材も、「第5・5世代金儲け」としては最も長い歴史の中で、大量に蓄積されています。この仕組みについては、まだまだシリコンバレーに匹敵する土地は他にありません。ボストンや中国のような、特徴のある拠点への「分散」はありますが、「総本山」としての地位はいまのところ安泰です。生活しづらいなどの文句を言いながらも、やはり人もお金も、引き続き集まってくるのです。

流れゆく川

私のアメリカ生活経験はシリコンバレーとニューヨークだけで、長期にわたるアメリカの

「田舎」在住の経験はありません。ですから、格差社会問題でよく取り上げられる、地方の衰退した町に住む人たちの感覚は本当のところはわかりません。

ただ、高校生のときに1年間、交換留学生としてそんな町にホームステイしたことがあり、現在はその場所を離れて別の小さい町に住んでいるホストファミリーをときどき訪ねます。

日本の田舎というと、田んぼが広がる農村地帯か、漁業の港町のようなところを思い浮かべます。アメリカでも、中西部では車で何時間走っても小麦かトウモロコシか大豆かどれかの畑しか見えない地域があり、カリフォルニアでもシリコンバレーから車で1時間ほど内陸部に入れば、地平線まで果樹園が続いたり、目の届く限り黒い牛でぎっしり埋まったりしている畜産集積所があったりします。しかし、私のホストファミリーの居住地は違いました。

最初にホームステイした町は、ニューヨーク州北部でカナダ国境に近い山の中にある、秋には息をのむような美しい紅葉に山が覆われる湖畔の町でした。もとは林業で栄えたのですが、私が滞在した1977〜78年時点で、すでに衰退して過疎化問題を抱えていました。第1章で述べたように、その昔「木材」はいまでいう石油・石炭のような貴重な「天然資源」で、この町も19世紀半ばの建設ブームの時代に創設されました。

その後、私が滞在した時点では、町の人たちの記憶にある限りの時代で一番町が繁栄したのは、1960〜70年代の「日本のボウリング・ブーム」のおかげだったと話してくれました。日本で「さわやか律子さん〜」とCMが流れていた頃、ボウリング設備のために大量の木材が必要で、そのおかげで木材を日本にたくさん輸出していたそうです。

しかし、1970年代後半にはブームはすっかり終わり、他に産業もなく、町で最大の雇用者は「アルコール依存症患者のためのリハビリ施設」となっていました。町の住民もアルコール依存症が多く、閉塞感が漂っていました。とても寒い気候で、スキー場もありましたが設備は整っておらずいつも氷だらけ、その後バブルの頃にリゾート開発計画があったけれど頓挫して、現在に至っているようです。最近になって、フェイスブックでつながることができた同級生たちの消息を見ると、高校を卒業しても町には仕事がなく、大学に行くために町を離れたまま戻っていない人が大半です。中には、日本企業の幹部になっている人もいます。当時5000人ほどだった人口は、いま調べると3000人台まで減っています。

一方、ホストファミリーが現在住んでいるのは、シアトルのあるワシントン州の内陸、クラークストンという、アイダホ州との境界の町です。アイダホ州側のルイストンとセットで、この町も創設は19世紀半ば、当時の物流の中心を担っていた「河川交通」の要衝でした。

19世紀初頭、日本でちょうど伊能忠敬が日本中を測量して回っていたのと同じ頃、アメリカでは、購入したばかりの新領地ルイジアナに大統領が探検隊を派遣して、地図を作らせました。この探検により、西部の土地開発と人の移動が可能となったのです。この探検隊の隊長はルイスさんとクラークさんのコンビで、「ルイス・クラーク探検隊」として、アメリカ西部の歴史ではよく知られています。探検隊は川に沿って西へと進み、この川が別の大きな川とT字形に合流する三叉路の部分に長期にわたって滞在したために、コンビの名前が町の名になりました。広い水路には、西の河口から川を遡って一番奥の内陸の港が現在でもあります。

いまでは河川交通の重要度は低下しましたが、このあたりは農業もあり、木材資源と河川交通を活かして製紙工場があるなど、ニューヨーク州の田舎町に比べれば経済的にははるかに明るく、二つの町を合わせると2万人ぐらいの人口があります。小さいながらも大学や空港もあり、シアトルから飛行機で1時間程度なので、シアトルのテック産業で一発当てた人たちが週末や引退後に住む場所として、宅地開発も進んでいます。町の人によると、最近は意識高い系の人たちが引退後に住む場所として、教養講座を受けられる大学があるところが人気なのだそうです。

歴史の話になるとつい長くなりますが、何が言いたいかというと、日本の第1世代／農業を中心とした長い歴史の世界と違い、アメリカでは第3世代／お宝探しの土地開発が大きな比重を占めており、こうした土地では資源の需要供給に伴う「栄枯盛衰」のサイクルが短く、また激しいということです。

アメリカ西部にはゴーストタウンがたくさんあります。あっという間に町ができ、あっという間に人がいなくなります。東部のウェストヴァージニア州では、かつて石炭産業で栄えた町がゴーストタウン化して、仕事を失った人たちがトランプ大統領を支持している様子がドキュメンタリーになったり、かつて自動車で栄えたデトロイトがゴーストタウン化したと話題になったりしたこともあります（デトロイトは現在その状態を脱しつつあります）。逆に、南西部のとんでもない田舎が、オイルシェール開発で突然栄えたりしています。

シリコンバレーは、お宝探しのゴールドラッシュから物流と農業へ、その後軍需産業からテクノロジーへと、栄枯盛衰を続けながら現在まで1世紀半を生き残ってきたわけです。この土地の最大の特徴は、現状の「ベンチャーとテクノロジー」ということよりも、もう少し根源的な「栄枯盛衰に対応する体力」のようなものが、実はベースなのではないかと思います。

クラークストンのゆっくり流れる広い川面の風景を思い出しながら、シリコンバレーは流れゆく川のようだな、とぼんやり考えています。

第９章　日本企業とシリコンバレー

日本のささやかな復権

一時は、シリコンバレーでも中国が人気になりました。大きな市場としての期待や、iPhoneなどの製品を作る拠点としての付き合いも多くなり、中国をなんらかの形で取り込もうという努力がいろいろな形で行われていました。また、ＡＩや通信などの技術やプロダクトの面でも、中国の存在感が徐々に大きくなりました。

例えば、ユニコーンの話で紹介した、ショートビデオをシェアするアプリ「TikTok」があります。先ほど、アメリカの一般消費者に広く浸透している中国ブランドはまだない、と書きましたが、「TikTok」はアメリカのティーンの間で大人気となった、最初の中国ブランドです。２０１９年６月の時点で中国を除く世界のアプリ・ダウンロード数が10億、そのうちアメリカが1億とされます。おそらく、多くのユーザーは中国発のサービスとは知らないで使っていることでしょう。

しかし、多くのアメリカの企業や投資家が、中国の政治体制や価値観の違いにぶち当たり、中国出自の企業が成長してくるに従い、中国との付き合いの難しさを実感しだしました。政治的にも、米中貿易摩擦が起こり、中国からのサイバー攻撃や情報テロの疑いや、香港のデモや国内の人権抑圧などもあり、アメリカ国内での中国に対する信頼感が徐々に低下しました。

中国以外でも、イギリスのブレグジット、フランスのデモなど海外市場の多くでリスクが高まりました。おもなビジネス相手の他の先進国と比べて、相対的に日本に対してはポジティブな見方が増えていると思います。アメリカのほかの地域では見方が異なることもありますが、なにしろシリコンバレー人にとっては、フランスやドイツのような非英語圏の欧州の国と日本は、ビジネス相手としても旅行先としても、だいたい同列に考えられているように感じます。

最近は、シリコンバレー・ベンチャーの海外進出先として、日本の重要度が高くなるケースがあります。企業向けサービスでは、日本企業ユーザーは料金をきちんと払うし、ヨーロッパの中の一国と比べて日本のほうが市場規模は大きいというメリットがあります。言語の壁や商習慣の違いなどの問題から、一般的には日本市場には尻込みし、英語圏を優先する企業が多いために、逆に同業同士の競争が少なく、よい商売になるという話も聞きます。

例えばビデオ会議システムのズームがあります。同社の創業者CEOのエリック・ユアンは、2019年夏の北カリフォルニア・ジャパン・ソサエティ開催のイベントに登壇し、「わが社にとって、日本は有料顧客が多く、アメリカに次ぐ市場規模になっている。重要な市場だ」と語っていました。最近は、在宅勤務の必須アイテムとして、ますますユーザーが増えています。2019年に上場したズームの「同期生」ともいえる企業向けグループチャットのスラックでも、日本は有料顧客が多い世界第2の大市場です。

私が最初にカリフォルニアに来た1980年代には、日本への興味は「ライバル、競争相手」としての研究対象でしたが、最近はもっと親近感のある興味に変わってきていると感じます。悪くいえば、日本はいまや「人畜無害」だからともいえますが、日本に行ったことのある人や、アニメやゲームのオタク文化にはまった人もたくさんいます。ささやかな日本の復権が進行中です。

これに対応するように、日本企業のシリコンバレーへの関心も最近高まっていました。ジェトロ・サンフランシスコ事務所で定期的に行っている「ベイエリア日系企業実態調査」の2018年発表分によると、サンフランシスコ・ベイエリアに存在する日系企業の数は17年末時点で913社あり、2000年ドットコム・バブル時代のピーク680社をはるかに超え、引き続き増えています。

以前は、シリコンバレーの日本企業はエレクトロニクス・IT系が多かったのですが、最近では機械などの製造業、外食・食品産業、アパレル・生活雑貨小売りなどの新規進出が目立ち、多様化しています。

実はシリコンバレーは、日本企業に限らず、出自がどこであっても「ヨソモノ」には冷たいところです。日本に限らず、海外企業でシリコンバレーに根付いて成功しているといえる事例は数少なく、アメリカ国内の他地域の企業さえ、「ヨソモノ」扱いされます。外から個人が来てこの地に根を下ろすのはよいのですが、人の出入りが激しい地域であるからこそ、その人を個人的に信用できるかどうかが大きな判断基準となり、ある程度の時間をかけて根付くことがどうしても必要になります。ヨソモノ扱いや物見遊山を卒業して、シリコンバレーの活力をうまく自分の事業に役立てるには、時間と手間がかかります。

それでも、シリコンバレーと付き合いたい企業は世界中からやって来ていた、というのが、コロナ禍以前の状態でした。

分類	やり方	目的	例
ベンチャー投資	現地の VC ファンドに参加	ディールフロー情報の獲得、ノウハウ獲得	Sozo Ventures、Translink Capital など日本企業パートナーを多く持つ VC への参加
	自前の CVC 設立または個別投資	より深いベンチャーとの関係樹立、自社事業へのとりこみ	リクルート、NTT ドコモ、パナソニック、トヨタ自動車など
	大型投資ファンド	投資収益、長期的な技術インフラへの参加	ソフトバンク・ビジョン・ファンド
研究開発	現地有力開発者を迎えて R&D 拠点をつくる	基礎技術開発、現地開発者の人脈へのアプローチ	トヨタ自動車
	現地研究機関との共同プロジェクト	大学や研究機関の技術を活用して商品開発	SRI（ハーモニックドライブ・システムズ、ヤマハ）
オープン・イノベーション	インキュベーター	自社拠点の一部にベンチャーを住まわせて支援	トヨタ自動車
	技術ショールーム	自社のシード技術を公開してパートナーを募る	富士フイルム
	提携支援	ベンチャーの自社への売り込みを支援	本田技研工業
	購入・開発支援	ベンチャーのプロダクトを自社で購入することを前提に、開発支援や投資も行う	コマツ、大林組
	販売提携	ベンチャーのプロダクトを日本や世界で販売する代理店となり、開発支援や投資も行う	NTT、大塚製薬
事業進出	自社ブランドでの営業	自社のメイン事業をアメリカでも自社で展開	ソニー、ユニクロ、TOTO、伊藤園、外食各社、メルカリ
	買収	現地企業を買収してアメリカ事業を展開	日立製作所、三菱 UFJ 銀行

日本企業とシリコンバレー

投資だけではない日本企業とシリコンバレーとのお付き合い

新型コロナ後、これまでと同じ形での日米の行き来はできなくなります。執筆時現在（2020年4月）で、シリコンバレーにある日本企業のオフィスの多くは、在宅勤務となっているだけで特に急激な閉鎖などはありませんが、長期的にはオフィスを縮小したり閉鎖したりする事例も出てきそうです。

とはいえ、大きな流れを見る限り、今後も何かと付き合いは続きます。参考として、これまでに私が見てきた日本企業とシリコンバレーの「付き合い方」事例を分類して、前ページの表に掲げておきます。

ベンチャーとの付き合いは、必ずしも「投資する」だけではないことがおわかりいただけると思います。業種多様化に伴って、お付き合いの仕方も多様化しています。目的や企業の状況により、一概にどれがいいとはいえません。

少ないながらも、海外企業の成功例もあります。長年にわたりシリコンバレーに拠点を置き、多くの従業員を抱えている事例としては、ドイツの企業向けソフトウェア会社SAPと、日本では日立グループが挙げられます。

SAPと日立グループの関係者に、「海外企業としてシリコンバレーで成功できているのはなぜだと思いますか？」と質問してみましたが、両方とも「さぁ……昔からずっとやっているだけなので、よくわかりません」と、同じ答えが返ってきました。現地の趨勢《すうせい》に合わせて、必要に応じて買収やスピンオフして業態も変えながら、コツコツやってきたということです。何か魔法のレシピがあるわけではなく、流れる川のように変化するシリコンバレーに対応する力があったということのようです。

第10章　シリコンバレーから日本は何を学ぶか

Dxは「金型」を目指す

新型コロナ騒ぎのずっと前から、日本では「デジタルトランスフォーメーション（Dxと略します）」がちょっとした流行語になっていました。

この用語の定義は曖昧で、いろいろな内容で使われていますが、「企業の業務やプロダクトそのものにデジタル技術を取り入れて改善する」とまとめることができます。ウェブでのプロダクト販売、RPA（Robotic Process Automation：事業プロセス自動化）のような社内業務の効率化から、センサーとAIを使って機械の動作異常を感知する大掛かりな予測メンテナンスまで、さまざまな事例が挙げられます。

シリコンバレーの企業は最初からデジタルなので、トランスフォームする必要はありません。しかしアメリカでも、もともとデジタルではない、伝統的な大企業が、種々のデジタル戦略を取り入れるようになっています。

その事例としてよく挙げられるのが、世界最大の小売りチェーン、ウォルマートです。同社は創業50年の節目の直前、２０１１年に買収したシリコンバレーのベンチャーを核として、ウォルマート・ラボ（Walmart Labs）を設立、「アマゾンに負けない」ためのデジタル化戦略を開始しました。当初は、すでに展開していたｅコマース・サイトの検索技術改良から始まり、６０００人を擁する大組織にまで成長しました。現在ではオンラインでないリアルの店舗での顧客エクスペリエンスの向上やサプライチェーンの効率化まで、いろいろな業務のデジタル化を推進しています。

アメリカでも日本でも、企業がＤｘを推進するのは、伝統的な企業が、自分たちも「アルゴリズムの金型」効果を使った「第５・５世代」型の金儲けができるようになりたい、そうならなければＧＡＦＡにやられて自分の商売が死んでしまう、という危機感があるからです。

ただし、そう簡単ではないことも事実です。有力コンサルティング会社マッキンゼー・アンド・カンパニーは、「Ｄｘプロジェクトの70％は失敗する」と言っています。やはりいまでも、難しいものです。ウォルマートもここまで来る間に湯水のようにおカネをつぎ込んできて、頑張って頑張って、やっとここまで来ました。

日本の一般企業が、どうやってＤｘに立ち向かうべきか、一概にはいえません。それぞれの企業が、汗をかいて情報を集め、自分の頭で考えていくしかありません。しかし、「第５・５世代金儲けの時代に生き残るためには、自分の会社なりのＤｘをやらなければならない」という点だけは間違いないと考えています。

そして、コロナ禍のせいで日本でも在宅勤務を余儀なくされ、それに伴って印鑑なしの業務プロセスへの移行など、いろいろな場面でのＩＴ・オンライン化を否応なしに進めざるを得なくなりました。Ｄｘを推進したい「革新派」の方々にとってはチャンスです。

WhatではなくHowを学ぶ

アメリカ大企業のＤｘも、何か明らかな成功へのルートがあるわけではなく、「試行錯誤」の繰り返しです。そしてシリコンバレーは、それ自体が巨大な「試行錯誤のための実験場」である、と考えることができます。

日本は高度成長期に、半導体や自動車での「産業政策」で、国を挙げてリソースをつぎ込むという手法を採りましたが、これはこうした産業が「ＮＢＴ（Next Big Things）」であるとはっきりわかっていたからできたことです。１９９０年代から２０００年代初頭にかけて、アメリカで成功したネットビジネスを日本に持ち込む、孫正義の「タイムマシン経営」が成功しましたが、こちらも同様の考え方です。明治維新の昔から、日本がこれまで何度も成功体験があるやり方ですが、「NBT」が何であるかわからない現状で、同じやり方はとれません。

それに代わるやり方は、いまのところ「試行錯誤」しかありません。シリコンバレーがいま注目されるのは、「NBT」がわからない中で進むべき方向を決めるための「試行錯誤」がやりやすい場所であるからです。

日本の伝統的企業で、「次の一手」を見つけるのに苦労している会社は多いと思います。しかし「次に何をすればよいのか」と問われても、誰もピタッと答えが出せません。「What」を知っている人は誰もいないからです。しかし、「How」、つまり試行錯誤の上手なやり方ならば、経験豊富な人がシリコンバレーにはたくさんいます。

その具体的なやり方としては、いくつか典型的なものがあります。まず、「オープンイノベーション」が挙げられます。

例えば自動車会社は、従来は自前の研究所で車を開発して、その過程は外部には徹底的に秘密にするのが普通でした。しかし、近年ではそんな自動車会社さえ、ベンチャーへの投資・買収、ＩＴ大手との提携など、「外」のリソースを活用するのが普通になっています。

こうしたやり方を「オープンイノベーション」といいます。だからこそ、世界中の自動車会社がこぞって、シリコンバレーにオフィスを開設しているのです。

インテルやグーグルが、自前のVCを通じてベンチャーに投資し、うまくいったものがあれば買収するのも、似たような考え方です。

それから、「PDCA」の考え方を使った「迅速なアップデート」の手法があります。

クラウド系ソフトウェアの世界では、完璧に作り上げることなく早めにプロダクトを出し、ユーザーが少ないうちに失敗を表面化させ、迅速アップデートしていく、というやり方が容易にでき、現在は主流となっています。ソフトウェアを箱に入れて売っていた頃はこれができませんでしたが、クラウドにソフトウェアを置くやり方の場合は、クラウド側の自社ソフトをアップデートするだけで済みます。ユーザーが次の日にアプリを開けば、自分で新バージョンを買ってインストールしなくても、新しいソフトが使えるというわけです。

こうした方式は「PDCA（Plan-Do-Check-Adjust）」などと呼ばれており、日本でも経営の場でよく使われます。同じ考え方として、ソフトウェア開発の場では「DevOps（Development/Operations）」、ベンチャーの事業開発では「リーン・スタートアップ」などがあります。ハードウェアや、大掛かりな設備のあるような事業の場合、そう簡単にはいきませんが、それでも「PoC（Proof of Concept：コンセプトが正しいかを試して証明する）」

という用語が広く知られるようになりました。まずプロトタイプや小ロットでＰｏＣを行って確認し、問題点を早目に出してＰＤＣＡを迅速に回し、徐々に広げるやり方が工夫されるようになっています。

　このやり方で、ネットにつながる種々のハードウェアを作ろうとするベンチャーがブームになったのが２０１５年頃でした。実際には初期の小ロットで人気を博しても、その後の量産に移るところで躓《つまず》く例が続出して、「やはりHardware is hard（ハードウェアは難しい）」としてこのブームは下火になってしまいました。しかし、ハードとソフトの組み合わせの試行錯誤は続いており、ＰＤＣＡ的な考え方そのものは、いろいろな工夫がこれからも続くと思われます。

　そしてもう一つが、「許容範囲」の設定の仕方です。ＶＣでは、一つひとつの投資先ベンチャーが成功するか失敗するかという点よりも、複数の投資先ベンチャーのうちいくつかが成功すればよい、という「ポートフォリオ」の考え方で臨みます。アメリカの事業会社では、新規事業を開拓する場合「どの程度の失敗までは許容するのか」「失敗と成功を組み合わせた上で、いつまでにどのぐらいのリターンを期待するのか」ということを決めてから動きます。日本企業の場合、この「許容範囲」の定義が全くない、または曖昧なケースが多く、ここは改善の余地があります。

ベンチャーや新事業の場合、「絶対失敗しない」ということはありえず、「試行錯誤」「PDCA」が不可欠です。かといって、「無駄を覚悟で好きなように」と言うと、今度は安易に際限なくリソースをつぎ込んでしまうことになりかねません。そこで、ポートフォリオで考えたり、ある程度の指標を設けたりすることがよく行われます。

ベンチャーだけではありません。アマゾンやグーグルなどは、新しい実験的なプロダクトを次々と始めますが、ダメだとわかると、すでにお客さんがいようが、メディアでバカにされようが、サッサとやめてしまいます。許容範囲を超えてずるずると続けず、メンツにこだわらず、迅速にPDCAを回すやり方です。このために、「グーグルの新サービスはいつまで続くか信用ならない」という批判があるのも事実で、このやり方が万能なわけではありませんが、一つの考え方です。

日本企業、特に過去に輝かしい成功体験がある大企業ほど、これまで成功してきたやり方から離れるのが難しいのは普通です。内部の既得権益、外部の関係各所とのしがらみ、誰かのメンツ、お客さんからの信頼を失うおそれ、などなど、新しいことを提案しても「できない」理由はいくらでも挙げることができます。世の中には完璧なものは存在せず、何であっても必ずマイナス面がありますので、マイナスを指摘することは簡単です。マイナスを完全に潰そうとすれば、いつまで経っても新しいことはできません。

これまでのさまざまな経緯の結果として現在の仕組みができているわけで、新しいことをなかなかできない大企業のことを、私のような外部のコンサルタントが批判するのは簡単ですが、実際に現在ある壁を突破するのは簡単ではありません。

しかし、自分の頭で考える際に、シリコンバレーの事例をいろいろ見ていくと、もしかしたら突破口が見つかるかもしれません。ゴールドラッシュまで遡っても、せいぜい170年ほどしか歴史のないシリコンバレーではありますが、「NBTがわからない」状況への対応は、日本よりも経験が豊富なのです。

まず経営者・管理職がITを使ってみる

かなりの長い間、「日本はソフトウェアが苦手だ、ソフトではアメリカに勝てない、だからモノづくりだ」という諦めの風潮が、政府にも民間企業にもありました。しかし、ここ数年はさすがの日本政府も「AI人材を育成しなければ」と言いだし、「Dx」を後押しするような動きになってきました。これに対する私の感想は、英語の「Better late than never（遅くてもやらないよりはよほどマシ）」という表現が当てはまります。それはそれで、よいのです。

しかし、そのためにやることとして、大人たちが何かというとすぐ「人材育成」と言いだすのが、私には少々引っかかっています。

ＩＴはまるで「他人事《ひとごと》」であり、「自分ではやりたくないから若いやつにやらせる」と押し付けているように聞こえるからです。「いやー、オレはＩＴ苦手で、わからないから」と、半ば自慢げに言う大人が多すぎます。日本にも「先進ユーザー」はいますが、それ以外の一般的なビジネスパーソンのＩＴリテラシーの低さは目を覆うばかりです。最近は若い人たちすら、スマホでなんでも済ませてしまうため、パソコンが使えなくなっていると聞きますが、まずは大人が自らを律するほうが先です。

例えば、業務用グループメッセージングの「スラック」とは何か、言葉で機能を説明すると、ＳＮＳとどう違うのか、ｅメールと比べてメリットは何か、なんだかよくわからず混乱しますが、使い方は簡単で、少しでも使ってみれば、違いは一目瞭然です。

最初にわからないのは誰でも同じですが、最初から手を動かしてみようとしない、挙げ句にわからないことを自慢するような大人が、ＩＴ人材やＡＩ人材をどうやって育てればよいかがわかるはずはありません。他人事ではなく、まずは自分の手を動かし、汗をかき、自分の頭で考えるべきです。少なくとも、経営者・管理職の立場にある人が、そこをサボってはいけないと思います。

それすらも無理なら、せめて、社内の若い人に反対しない、むしろ自分がお金を出して彼らが欲しがるソフトウェアやサービスを買ってあげる、という貢献は可能です。

ベンチャーがシリコンバレーで盛んに興るのは、「大人側」の大企業がこれらのベンチャーを買収したり、新しくできたプロダクトを使ったり、という役割を担っているからです。投資ばかりが強調されがちですが、シリコンバレーではみんながどんどん新しいサービスを使う、すなわちベンチャーのお客が近くにたくさんいるという点がとても重要です。実績のないベンチャーに対し、地元の大企業がお客になったりパートナーになったりします。「大人」の役割はとても大きいのです。

ＡＩとわざわざいわなくても、いまどきのクラウド系業務サービスであれば、なんらかの形でバックエンド側に機械学習やデータ分析の仕組みが組み込まれているのは当たり前です。人材人材という前に、まず大人たち（政府・役所、大企業、中小企業、学校、家庭内など、みんな含まれます）がこういうソフトウェアやクラウドのプロダクトを、お金を出してどんどん使うべきだ、と私は考えています。

「ＩＴリテラシー」は自転車の乗り方を習うのと同じです。できない人から見れば魔法のように見えますが、慣れればどうということはなく、誰でも練習すればできます。ＩＴもスポーツと同じように、何度もやってマッスル（筋肉）メモリーに入れてしまえば、怖がらず混乱も少なく、できるようになります。

「業務用」として設計されているサービスであれば、頑張って慣れれば使えるようになります。クラウドサービスではセキュリティも組み込まれ、企業の規模によっては、自社でサーバーを運営するよりも安全な場合も多くあります。

政治家、経営者、町の商店、先生、親など、みんなが「他人事」でなく、ＩＴサービスをバンバン使うようになれば、この市場が大きくなり、アメリカのイケてるベンチャーがもっと日本市場を重視して参入しようとするでしょう。これに対抗する日本の優秀なベンチャーも、十分な売り上げをあげて、ＩＴ企業で働く人たちにたくさん給料を払うことができます。ちゃんと「金型」効果を発揮できるＩＴ企業ならば、売り上げが伸びればマージンが大きくなり「好循環」に入り、従業員にたくさん給料を払う余裕ができるからです。

大企業がこうした優秀なベンチャーを買収したりお客さんになったりすれば、大企業の競争力が増し、日本の国際競争力が増大します。さらに、ＩＴサービスの導入促進は、「働き方改革」のための業務効率のためにも非常に重要です。

大企業が日本の優秀なベンチャーを買収するというエグジット方法が普通になれば、ベンチャーが成功できる確率が上がり、日本のベンチャーに資金がもっと集まるようになります。日本でベンチャーがもっと盛んになるにはどうすればよいかと聞かれると、私はいつも「日本の大企業が日本でベンチャーを買収することを奨励する」と答えています。

自国日本でベンチャーへの出資や買収をやったことのない大企業が、シリコンバレーまでわざわざ来て、慣れない文化に四苦八苦しながら買収するのは大変です。まず日本でベンチャーを買収しましょう。それがなかなか進まない理由として「社内の開発人員との兼ね合い」「プロダクトの共食い関係」などがあることは重々承知していますが、それは大企業側の仕組みを変えることで対応できると考えます。

いまの日本に大切なのは、新しく聞こえるけれど曖昧な「ＡＩ」やそのための人材育成よりも、すでに身近にいくらでもあるＩＴをどんどん活用し、産業を活性化することだと思っています。

一方ＩＴ産業側も、より多くのユーザーが使いやすいようにＵＸ（ユーザー・エクスペリエンス）をよくして、「ソフトウェアの金型効果」がより発揮できるような経営の仕組みを整えていくことが求められます。**重要なのは、ＡＩよりもＵＸです。**

そして、ＩＴを提供する企業や、ＩＴを活用してＤｘに邁進する企業や、働きすぎを脱して幸せな生活を求めるユーザーが、みな「ソフトウェアの金型効果」を享受できるようにしたいものです。

新しいサービスの登場により、ディスラプトされる業界も確かにあります。ＩＴの雇用への貢献が弱いという根本的な問題もあります。しかしそれに対し、ディスラプトそのものを禁止するという「ラッダイト運動」ではなく、職を失う人に対する対策はこれとは別に考え、前向きに問題を解消できるようにしたいものです。

個別の企業や個人の戦略はそれぞれ異なるので、どうすればベストというのはここでは言えませんし、このようなシナリオは能天気にすぎないかもしれません。しかし少なくとも、ＩＴを使いこなせない大人たちが、自分ではできない、その良さもわからないくせに、子供たちのおしりをたたいたところで、いきなり中国に対抗できるような大量のＡＩ人材が発生するはずはありません。

まずはとにかく「上から下まで、手を動かしてＩＴを使いこなす」ことが、停滞気味な日本の産業や社会において、金型効果を使った「第５・５世代」の金儲けを可能にし、未来を拓くことの第一歩になると私は考えています。

エピローグ　ニュー・ノーマルの世界へ

「ニュー・ノーマル（新常態）」という言葉は、少し前から、ベンチャー資金の状況が変化して、これは一時的なものではなく今後長く続く普通の状態だ、という記述の中でときどき見かけていました。そこから、２０２０年４月現在、一般的に誰もが使う言葉になってしまいました。

この本の最初のドラフトを書き終えたのは２０２０年１月。ちょうどそのとき出張で滞在した日本では、中国での病気流行についてニュースには出ていましたが、まだ中国からの観光客が浅草の仲見世商店街を埋め尽くしていました。アメリカも相変わらず好景気で、１月初めのラスベガスでの巨大テック展示会ＣＥＳには、十数万人の人が、中国を含む世界中から押し寄せていました。

しかし、原稿の推敲をしているうちに、世界は全く変わってしまいました。このごろ、１月の東京の風景をよく思い出します。もしかしたら、あんなに賑やかな東京を見ることは、もうこの先できないのかもしれない。のんびりと温泉につかったり歌舞伎を観たりしたあの日々は、夢だったのかもしれない。1月の世界は、最後の輝きだったのかもしれない。そんな気がしてしまいます。

シリコンバレーを含むカリフォルニア州では、全米に先駆けて3月半ばから外出禁止令が出て、私も食料品の買い出しと近所のジョギング以外、外出していません。アメリカでは、日本をはるかに上回る多数の感染者と死者が出て、あらゆる経済活動が止まり、史上まれにみる大量の失業者が出ました。

それでも、シリコンバレーの企業はもともと在宅勤務の人が多く、ビデオ会議もチャットによる連絡もオンライン書類手続きも、多くの人がすでに慣れており、それがさらに進展しました。事業の内容としても、他の地域に比べて、外出禁止の直接のインパクトは少なめで、中には在宅勤務への対応で、急成長したところもあります。映像配信のネットフリックスや、ビデオ会議のズーム・ビデオ・テクノロジーズなどは絶好調です。ペースダウンはしていますが、ベンチャー資金調達の情報は引き続き流れてきます。私自身も、ミーティングやイベント出席がない時間をこの本の執筆に充てて、結局は普段とほとんど変わらないペースで仕事を続けています。

これまで、テック企業が売り込もうとしてもなかなか進まなかった、病院での遠隔診療や、学校の遠隔授業などが、必要に迫られて急激に普及しました。ライブエンターテインメントのネット配信も増加しました。あまり嬉しくないきっかけで、思わぬ形で、否応なしに、いろいろな部分で「Dx」が一気に進んでしまったのです。

一方で、航空会社、旅行関係、飲食業、エンターテインメントなど、Dxではどうにもならなくて打撃を受けた業種もあり、労働者不足のため製造業、運送業なども苦しくなっています。あらゆるものを中国で生産することで成立していた仕組みは、分散を余儀なくされるでしょう。この先長いこと、空港での防疫措置が厳しくなったり、サプライチェーンが大幅に変化して入手できないものが出たり、原料が入手できずに打撃を受ける産業が出たりなど、いろいろな余波が予測されます。

この本が世に出る頃には、世界はいまよりは通常に戻っていることと信じたいですが、おそらく、完全に元の状態には戻らないでしょう。「ニュー・ノーマル」の世界が展開していきます。

私個人の感慨はともかくとして、変化に対応する能力の高いシリコンバレーですから、この業界全体の先行きのことを私はあまり悲観していません。「ITリテラシーは慣れ」ですから、今回否応なしにDxを迫られた業界や企業で、これに慣れればすんなりDxが進むようになる、という可能性もあります。ユーザーも、やってみたら意外にビデオ会議は便利とわかって、この先もずっと使おうと思っている人も多いはずです。

例えばサンフランシスコのＵＣＳＦ医療センターでは、新型コロナの非常態勢に入る前に遠隔医療の比率は２％しかなかったのに対し、非常態勢下では積極的に遠隔医療を推進し、60％にまでなったと表明しています。病院責任者は、流行が終わったあと、「おそらく60％は維持できないが、２％に戻ることはない」と断言しています。

現在のアメリカの社会保険（ソーシャル・セキュリティ）制度は、１９２９年の大恐慌のときの社会的ダメージを教訓として生まれました。そして、その膨大な手続きを処理するために、ＩＢＭがコンピューターの原型を作ったのです。第二次世界大戦後、アメリカでは、復員兵士の復職問題に対処するため多くの制度改革が行われ、例えばプライベート・エクイティが生まれたのはこのときの規制緩和によるものです。「戦後」が大きな飛躍の時代だったのは、日本だけではなく、アメリカでも同じです。

この先、すべてが良くなるわけではありませんが、すべてが悪くなるわけでもありません。

過去に起こった大変化に直面した人々は、やはりこんなふうに戸惑っていたのだろうと思います。現在生きている世界があっという間に過去の歴史となり、やがて「ニュー・ノーマル」が新しい現在となっていきます。

末筆となりますが、本書の編集をご担当くださった講談社の田中浩史様、私の考えを面白がって執筆を後押ししてくださった青山学院大学経営学部の宇田《うだ》理《おさむ》教授、「How/What」や「VC補助金漬けライフ」など多くの名言をパクらせていただいた仕事仲間の渡辺千賀さんのお三方を始め、知識・情報・考察のいろいろな面でお世話になった多くの友人たちに、深くお礼を申し上げます。

最後までお読みいただいた皆様のご無事とご健康をお祈りしつつ、感謝とともに筆をおきたいと思います。

2020年4月30日

海部美知

海部美知

ENOTECH Consulting代表。米国と日本の新技術に関する戦略分析、事業開発支援、投資・提携斡旋、市場調査などを手がける。シリコンバレー在住。本田技研工業を経て1989年NTT入社、米国の現地法人で事業開発を担当。96年米ベンチャー企業のネクストウエーブで携帯電話事業の立ち上げに携わる。99年ENOTECH Consultingを設立してコンサルティング業務を開始し現在に至る。2020年、早稲田大学ビジネススクール非常勤講師を務めた。テクマトリックス株式会社社外取締役、北カリフォルニア・ジャパン・ソサエティ理事。一橋大学社会学部卒業、スタンフォード大学MBA取得。著書に『ビッグデータの覇者たち』(講談社現代新書)、『パラダイス鎖国』(アスキー新書)がある。

講談社+α新書《プラスアルファ》 831-1 C

シリコンバレーの金《かね》儲《もう》け

海《かい》部《ふ》美《み》知《ち》 ©Michi Kaifu 2020

2020年7月20日第1刷発行

発行者―――― 渡瀬昌彦

発行所―――― 株式会社 講談社

東京都文京区音羽2-12-21 〒112-8001

電話 編集(03)5395-3522

販売(03)5395-4415

業務(03)5395-3615

カバー写真―――― iStock

デザイン―――― 鈴木成一デザイン室

カバー印刷―――― 共同印刷株式会社

印刷―――― 豊国印刷株式会社

製本―――― 株式会社国宝社

本文データ制作―――― 講談社デジタル製作

Printed in Japan
ISBN978-4-06-520708-6